EL ARGENTINO FEO

UNA APROXIMACION PSICOSOCIAL
AL ESTUDIO DE NUESTRA IDENTIDAD NACIONAL

ORLANDO J. D'ADAMO
VIRGINIA GARCÍA BEAUDOUX

EL ARGENTINO FEO

UNA APROXIMACIÓN PSICOSOCIAL
AL ESTUDIO DE NUESTRA IDENTIDAD NACIONAL

EDITORIAL LOSADA
BUENOS AIRES

© Editorial Losada, S. A.
Moreno 3362,
Buenos Aires, 1995

1ª edición: julio 1995

Tapa: Departamento de Producción

ISBN: 950-03-7176-6
Queda hecho el depósito que marca la ley 11.723
Marca y características gráficas registradas en la
Oficina de Patentes y Marcas de la Nación
Impreso en Argentina
Printed in Argentina

A nuestros abuelos y bisabuelos inmigrantes; especialmente a nuestras abuelas Memé y María, que hace casi un siglo llegaron a estas tierras cargadas de sueños e ilusiones; y porque gracias a su cariño, amparo y sabiduría, la infancia resultó un tiempo divertido, cálido y esperanzado.

A nuestros padres, que pertenecen a una generación que creyó en la Argentina, donde llevan invertida una vida de esfuerzos y emprendimientos. Ellos nos supieron transmitir el amor, la vocación y el compromiso de trabajar por nuestro país y su gente.

A Martín, porque a él le pertenece el futuro de esta historia, que anhelamos sea un lugar mejor en el que pueda reflexionar en democracia y libertad cuando le llegue el momento de enfrentarse a la inevitable pregunta acerca de la propia identidad.

AGRADECIMIENTOS

Son muchas las personas que han colaborado con nosotros en la tarea de hacer posible este libro y en el trabajo de investigación del cual es en buena medida su producto.

En primer lugar, quisiéramos agradecer a los alumnos de nuestra cátedra de Psicología Política, con quienes compartimos muchas de las ideas de este ensayo. Sus críticas nos permitieron reflexionar y redefinir su rumbo. También a todos los estudiantes que se prestaron voluntariamente para participar como sujetos de la investigación; no sólo a los argentinos sino también a los de Venezuela, Brasil, Chile, Perú, Costa Rica y Estados Unidos. Su buena predisposición es lo que permite en países donde los fondos para investigación son escasos, llevar adelante proyectos de esta índole.

Los profesores Domingo Asún Salazar, de la Universidad Diego Portales de Santiago de Chile; Mónica Galano, de la Universidad Católica de San Pablo; Richard Jackson Harris, de la Universidad de Kansas; Marco Fournier del Instituto de Investigaciones Psicológicas de San José de Costa Rica; y Víctor Montero López, de la Universidad de San Marcos, Lima, Perú; nos han brindado una ayuda crucial para la consecución de una muestra internacional que pudiera dar sentido a nuestro objetivo principal. Muchas gracias a todos ellos.

Queremos agradecer muy especialmente a nuestra querida colega y amiga Maritza Montero, profesora de la Universidad Central de Venezuela, no sólo por el apoyo que nos dio para obtener una muestra de su país, sino por todo su interés y colaboración, además de sus valiosos, sutiles e inteligentes comentarios.

A Federico González, profesor de la Universidad de Buenos

Aires y entrañable amigo, quien cooperó con nosotros en la tarea de diseñar el cuestionario mediante el cual se recogerían los datos que luego serían la base de nuestra investigación; y por su constante ayuda a lo largo de este tiempo.

A José Manuel Sabucedo, decano de la Facultad de Psicología de la Universidad de Santiago de Compostela —a quien afortunadamente (?) hemos logrado convertir en un "porteño por adopción"—, pues desde el primer momento en que se nos ocurrió incursionar en la Psicología Política nos dio generosamente su aliento y confianza, aunados a su invalorable amistad.

A Graciela Susana Puente y a Susana Azzollini por el tiempo dedicado, sus correcciones, críticas y comentarios.

Por último, a todos los que se interesaron, apoyaron e insistieron para que siguiéramos adelante con el proyecto de este libro que hoy se concreta.

A MANERA DE INTRODUCCIÓN

> —¿En qué se parecen Santa Claus y un argen-
> tino humilde?
> —En que ninguno de los dos existe.

Es un tema conocido que de la Argentina, y de los argentinos particularmente, se suele hablar bastante mal.

Dejando de lado las opiniones que circunstancialmente pudieran generarse a partir de específicos avatares políticos o económicos del país, pareciera existir en el exterior un cierto consenso respecto de una imagen de la Argentina construida sobre calificativos como la soberbia, la presuntuosidad, la antipatía y la prepotencia.

Un factor decisivo para la realización de este ensayo —y que se traduce esencialmente en el estilo en que se halla escrito— es la creencia de que el tema implicado no debe quedar restringido al ámbito universitario, los congresos internacionales o las publicaciones científicas.

La discusión sobre la imagen nacional y sobre la identidad nacional son cuestiones que a todos conciernen porque, querámoslo o no, a todos involucran. Por ello se intentará presentar un trabajo escrito con el lenguaje más sencillo que nuestro sesgo profesional nos permita utilizar.

Es por lo tanto un libro concebido no sólo para profesionales del área, sino para todos aquellos que sientan interés respecto de estos problemas, desde las más diversas perspectivas.

Hace más de treinta y cinco años, inquietudes similares a las nuestras indujeron a dos escritores estadounidenses llamados William J. Lederer y Eugene Burdik, a escribir *The Ugly American (El americano feo)*. Valiéndose de una historia irreal, describen a lo largo de las páginas por qué las acciones "mejor intencionadas" de los Estados Unidos hacia otros países eran consideradas por sus supuestos beneficiarios como las "peor intencionadas".

Si bien se trata de una obra de ficción, se añade un epílogo documental como testimonio de que el contenido del libro no es totalmente imaginario, y que en buena medida está basado en hechos reales. Estos hechos o situaciones reales que los autores incluyen, y que según sus propias palabras ocurrían "demasiadas veces", habrían sido factores de incidencia para la formación de la mala imagen internacional de los Estados Unidos en aquel momento. Entre otros, algunos de los citados son: la muy frecuente presencia de embajadores estadounidenses que no sabían hablar el idioma de los países ante los cuales estaban acreditados; o el error político que significaba que los técnicos norteamericanos en el extranjero trabajaran en "grandes proyectos", como la construcción de carreteras y de sistemas de irrigación cuando en realidad los habitantes de dichos lugares tenían claramente otras prioridades (mejorar la cría de animales, realizar estudios sobre la pesca comercial, instalar pequeñas fábricas en los pueblos, etcétera).

No compartimos con aquellos autores muchas de sus categorías de análisis ni muchos de los criterios que utilizan para la evaluación del problema. Rescatamos, sin embargo, el poder de denuncia y de autocrítica que esta obra significó y, en consecuencia, la magnitud de su impacto en la opinión pública.

Desde esta perspectiva, *El americano feo* ha sido un valioso precedente a partir del cual germinó la idea de este libro, y que inspiró su título.

Son muy distintas las situaciones que constituyen los indicadores de la negativa imagen internacional de los argentinos. Hay algunas experiencias tanto colectivas como individuales, que sirven a modo de ilustración.

Todos recordamos, por ejemplo, las escenas del campeonato mundial de fútbol de 1990 en Italia: una silbatina permanente al equipo argentino, y un apoyo irrestricto al circunstancial rival, aunque se tratara de un país con vínculos culturales y étnicos con Italia tan poco presumibles como los que podría tener Camerún.

Quienes sean frecuentes seguidores de los deportes, y sobre todo de las competencias internacionales, habrán notado que no se trató de un hecho aislado. Ni en el mundial de fútbol de México en 1986, ni en el de España en 1982 el ambiente resultó más favorable. De ello se infiere que no se trata de la poca simpatía que un grupo de deportistas en particular pudiera ocasionalmente despertar en el público, sino de una actitud hacia lo argentino en general que encuentra en los eventos internacionales, el canal adecuado para su manifestación pública.

Esta actitud negativa no se restringe a las confrontaciones deportivas sino que puede abarcar múltiples escenarios, haciéndonos así partícipes involuntarios de esta situación.

Ser argentino no constituye una buena carta de presentación, lo cual se acentúa dentro del contexto latinoamericano e hispanoparlante en general, aunque con distintos matices.

Cotidianas ilustraciones de dicha actitud se reflejan en las crónicas veraniegas de los periódicos de las naciones limítrofes, que en época de vacaciones relatan que los argentinos son quienes peor conducen sus vehículos, quienes peor impresión dejan en los lugares que visitan y hasta quienes "más se ahogan en el mar", como entre risueña e irónicamente afirmara un matutino de un país vecino.

¿Cuáles son las reacciones frente a tales comentarios? Muchas veces la resignación; otras veces en cambio, predomina la sensación de injusticia. En ocasiones se despierta la autocrítica (implícita en una frase muy empleada como: "¿y qué querés?, también ¡como somos los argentinos!"), y en otras los cuestionamientos ("¿qué les habremos hecho para que piensen esto de nosotros?").

Si las críticas provienen de Europa, específicamente de Italia o de España, la mitología popular cuenta con expresiones muy conocidas como: "Pero ¡si somos hijos de los españoles y de los italianos!", "Con lo que los ayudamos antes y después de la guerra", o con reflexiones más duras y paranoides del tipo de: "Pero bien que cuando les va mal en sus países vienen a buscar trabajo a la Argentina".

Este conjunto de hechos anecdóticos o circunstanciales, en donde se entremezclan acusaciones y defensas permite configurar un cuadro de situación en cuya superficie se trasluce la presencia —aún borrosa— de un problema mayor, que nos propondremos elucidar de manera más sistemática.

Muchas de las ideas expuestas en este estudio serán polémicas. Probablemente los nacionalistas las calificarán como críticas en exceso y, quienes no lo son, como parciales y complacientes. Aunque comprendemos estas posturas, deseamos precisar que una parte del objetivo de este trabajo se centra en el análisis de la recurrente atribución de rasgos negativos hacia los argentinos como grupo, y en la notable coincidencia respecto de los mismos. Esto obliga a enumerarlos y a presentarlos para su examen, sin que ello implique ninguna intención apologética.

Por lo tanto, pese a no estar siempre de acuerdo con este tipo de apreciaciones, volcamos todo el interés en la determinación de su "legitimidad psicosocial".

Creemos que la Psicología Política (campo de aplicación de la Psicología donde confluyen la Ciencia Política y la Psicología Social) otorga no sólo el ámbito, sino un conjunto de herramientas teórico-prácticas adecuadas para aportar nuevas ideas, tanto sobre los procesos involucrados en la formación de las imágenes nacionales como también sobre algo mucho más importante: la génesis y constitución de las identidades nacionales.

No es muy frecuente en nuestro país que los psicólogos se ocupen de esta temática. Una curiosa deformación profesional propia de la Argentina hace que normalmente se piense en el papel del psicólogo como exclusivamente vinculado a la labor clínica o psicoterapéutica, y de corte psicoanalítico. Sin embargo, en muchos países, y aun en el nuestro aunque de forma más inadvertida, calificados colegas aportan su capacidad y conocimientos para el desarrollo de este campo y de muchos otros de la Psicología aplicada.

Dos años atrás iniciamos una investigación internacional orientada al estudio de las imágenes y representaciones sociales de las naciones americanas. Los resultados obtenidos (en lo que a nuestro país concernía) corroboraron en buena medida la negativa imagen internacional argentina.

No fue hasta entonces que decidimos emprender la tarea de investigar realmente a fondo esta cuestión. Se dio un nuevo giro al enfoque original, y se fijó como meta reunir la mayor cantidad posible de referentes significativos en los que confluyeran aportes de las más diversas fuentes, cuya configuración integradora se ha intentado delinear en este libro. El cumplimiento de dicho objetivo obligó a sacrificar un poco el orden en favor de la variedad y riqueza de la información, pero creemos que no ha sido en vano.

Como punto de partida, contábamos con la ventaja de poseer los datos referidos a la Argentina que se habían conseguido por medio de la aplicación del Cuestionario de Preferencias y Características (CPC) que establece grados de preferencia o rechazo hacia los países, junto con las características más frecuentemente atribuidas a ellos.

Se presenta la información de manera coloquial en el segundo y tercer capítulo, dejando librado al criterio del lector que quiera profundizarlos la posibilidad de consultar el apéndice de datos.

Por las características exploratorias del diseño empleado, sería interesante en el futuro llevar a cabo trabajos con muestras de mayor alcance estadístico, que ampliaran sus márgenes de corroboración.

Los resultados obtenidos merecen distintas lecturas. Por ejemplo, hay llamativas coincidencias en las descripciones de los argentinos realizadas en otros países, que llegan incluso al punto de expresar nítidamente conflictos regionales con notoria vehemencia.

Otro atractivo eje de análisis es el que surge de la enumeración de países preferidos y rechazados del Continente; en otras palabras: quiénes y cómo nos incluyeron en ambas categorías, y a quiénes a su vez los argentinos encuestados ubicaron en ellas.

Además, se verá cómo los argentinos se autodescribieron, y qué grado de coincidencia tuvieron sus autodescripciones con las realizadas por los extranjeros.

Concluida esta etapa, comprendimos la necesidad de recurrir al auxilio de otros campos disciplinarios, con el objeto de incorporar otro tipo de variables al trabajo. No dudamos en recomendar la experiencia a quienes se aventuren en ésta u otra área dentro de la investigación social, ya que resultó gratamente enriquecedora.

El primer capítulo recoge los resultados de una búsqueda de antecedentes históricos que se remonta hasta el siglo XIX, lo que para nuestra breve historia como nación independiente no es poco tiempo.

Su aporte fundamental, y que justifica su inclusión, es el develamiento de la consistencia histórica de la mala imagen de la Argentina y de los argentinos. Y aún más: la homogénea reiteración de descripciones y caracterizaciones negativas. Será posible observar cómo distintos viajeros, en la Argentina, ya desde principios de siglo, detectaron en nuestra forma de vida y de interacción con los demás, muchos de los rasgos que hoy en día se nos atribuyen.

Había llegado el tiempo de emprender la reflexión teórica. En el cuarto capítulo, se introdujeron numerosos conceptos que desde el campo de la psicología social y política intentan esclarecer los procesos intervinientes en la formación de las imágenes y de las identidades nacionales. Es decir, que a esta altura se da un paso clave: la persistencia en el tiempo y los datos empíricos nos inducen a analizar no ya aquellos aspectos más visibles y epifenoménicos, como los vinculados a las imágenes de los países; sino los más profundos y complejos que se encuentran comprometidos en las representaciones sociales, en la formación de estereotipos y prejuicios, y en la dinámica psicosocial subyacente a la gestación de las identidades nacionales.

El enfoque utilizado —no demasiado difundido en nuestro país— es el sociocognitivo, línea teórica que fue necesario complementar con otras teorizaciones aportadas por autores latinoamericanos, más cercanos a nuestra realidad y vicisitudes. Además, nuestras propias consideraciones sobre el tema nos llevaron a incorporar un capítulo dedicado al análisis de las interrelaciones entre factores económicos, sociodemográficos y psicológicos, que permitieron una correcta contextualización socialeconómica.

En la primera parte del capítulo quinto se analizan las consecuencias psicosociales de la inmigración y el desarrollo económico hasta mediados de siglo, así como de la posterior decadencia económica.

A continuación, se examinan los fenómenos inflacionarios e hiperinflacionarios, que en distintos momentos históricos se constituyeron en factores cuya influencia impregnó de manera peculiar nuestra identidad nacional.

Por último, en las reflexiones finales (a las que no sin motivo hemos omitido llamar "conclusiones") se presentan nuestras opiniones e hipótesis sobre los temas tratados. Se intentará a través de ellas, no sólo establecer los vasos comunicantes entre los distintos abordajes presentados, sino llevar a cabo una analítica descripción de los hábitos y costumbres incorporados en nuestra convivencia social, y sus efectos al reproducirlos con otros grupos sociales, en este caso los extranjeros.

Miraremos a través de un imaginario lente de aumento cómo nuestra forma de hablar, nuestro comportamiento en los espacios públicos, nuestras intolerancias, nuestros prejuicios y nuestros mitos nacionales, junto con las demás variables ya mencionadas, aportan componentes indispensables a la hora de ponderar pesos relativos en el proceso de formación de nuestra identidad.

En cada capítulo fue incluido como epígrafe alguno de los chistes más conocidos que sobre los argentinos se cuentan en el exterior. La mayoría de ellos reconocen a anónimos autores latinoamericanos o españoles. Seleccionamos aquellos que según nuestro punto de vista y sentido del humor nos parecieron más divertidos y, sobre todo, más significativos.

Sería sin duda pecar de ingenuos aceptar que su existencia y argumentos recurrentes puedan ser azarosos o casuales.

Debe tenerse en cuenta que una de las características propias de la estructura del chiste es la representación caricaturizada de situaciones cotidianas, de las cuales se exageran ciertos rasgos para obtener la hilaridad de la audiencia. Es decir, que aun siendo el chiste una construcción ficticia no se deja de encontrar en él algún aspecto en el cual nos reconocen, nos reconocemos y podemos reconocer.

En otro orden de cosas, es indiscutible que la dimensión política se encuentra presente en los análisis incorporados a este trabajo. Quién, por otra parte, puede hablar de psicología social o de economía sin que lo político forme parte de sus apreciaciones. Decidimos correr el riesgo y aceptamos sus consecuencias. Hacerlo de otra forma hubiera significado una pseudoasepsia en la que no creemos.

Paradójicamente, la profundidad y significación del tema abordado no impiden que pueda ser conceptualizado mediante algunas de las preguntas más centrales pero a la vez más simples y directas que todos, individual o colectivamente, alguna vez nos hemos hecho: ¿quiénes somos?, ¿cómo somos?, y ¿por qué somos como somos?

Esbozaremos aquí un intento de respuesta, siendo conscientes de que no sólo a estos sino a muchos otros interrogantes que se plantean en esta obra no podremos responder como quisiéramos.

Nos conformamos, en cambio, con poder abrir nuevas líneas de debate para una problemática que en la Argentina y en muchos otros países del mundo es de vital importancia.

UN POCO DE HISTORIA

—¿Qué es un argentino?
—Es un italiano que habla español y que se
cree inglés.

Al iniciar la tarea de reconstrucción histórica, encontramos
una notable cantidad de textos que pretendían, desde distintos
ángulos de análisis, aportar ideas sobre el tema de la identidad
nacional. Este hecho en sí mismo resulta sintomático, ya que en
tal recurrencia pareciera advertirse la preocupación por la eluci-
dación del problema.

En esta búsqueda hallamos opiniones y reflexiones de autores
argentinos referidas a "nuestra forma de ser", y a la influencia que
los sucesos históricos pudieron haber tenido en ella. También
hallamos las de visitantes al país entre fines del siglo pasado y
principios del presente, quienes volcaron sus apreciaciones y descripciones sobre el tipo de sociedad que vieron, y los rasgos más
representativos de sus habitantes.

Algunos de dichos trabajos, de manera resumida, se encuentran citados en este capítulo. Se ha tomado de ellos los aspectos
que se revelan como más orientativos en relación con el objetivo
de este estudio. Su interés reside tanto en su carácter documental
o en la trascendencia de los opinantes circunstanciales, como en
la notable similitud que guardan con los datos obtenidos en la
actualidad, y que serán presentados en los capítulos siguientes.

La introducción de esta dimensión histórica, no sólo responde
a la mera búsqueda acumulativa de antecedentes, sino también a
la posibilidad de establecer referentes que indiquen las características de un proceso en el cual puedan ser determinables los nexos
y las relaciones que faciliten la comprensión de los hallazgos
actuales.

En otras palabras: se busca el dato histórico como vía de acceso a la dinámica de la gestación de nuestra identidad nacional.

Con este análisis, se pretende echar luz sobre ciertos interrogantes. Principalmente éstos son: ¿Siempre fue tan negativa nuestra imagen frente a propios y extraños? ¿Desde cuándo son visibles los componentes más salientes sobre los que numerosos autores acuerdan en la descripción del "ser argentino"? ¿Es detectable algún momento histórico que influencie de manera decisiva la constitución de muchos de los rasgos negativos que se nos atribuyen? Y estos rasgos, ¿de dónde provendrían? ¿Cuáles serían sus raíces? ¿Qué variables sociales y psicológicas podrían haberse conjugado a lo largo de distintas épocas, y amalgamándose de un modo particular, haber dado forma a la "argentinidad", en una versión que se mantiene hasta la actualidad, independientemente de las modificaciones en apariencia periféricas que le imprime el paso del tiempo?

En la recopilación encontramos casi por azar un libro cuyo solo título constituía una tentación: *Mi viaje a la Argentina* (subtitulado "Odisea Romántica"). Ya los editores advierten en la portada que se trata de "El libro más atrevido y venenoso del año". Esta afirmación nada tiene de exagerada porque su autor, el poeta José María Vargas Vila (de origen colombiano), viajero por Buenos Aires hacia fines de 1923, no escatima adjetivos a la hora de las críticas.

Pero, vayamos por partes. Comencemos por las impresiones que le produjeron la ciudad y sus gentes. Buenos Aires se le presenta como: "... Una gran ciudad de segundo orden, con aspiraciones y en vías de hacerse una gran ciudad de primer orden; es apreciable y conmovedor el esfuerzo que los ciudadanos de ella hacen para lograr su sueño, y merecen realizarlo, por el tesón incoherente y bullicioso que ponen en ello;...".

Más adelante, escribe: "...Paraître, es la divisa de esta ciudad y de este pueblo: ostentación, puffismo, relumbrón: Babilonia de cartón, empeñada en hacernos creer que el *papier maché* con que fabrica sus palacios es un mármol legítimo, extraído de las montañas de Carrara, y que las láminas de cinc bruñido con que cubre las cúpulas de sus edificios fueron extraídas para ella, de las montañas de Klondykle...", y continúa: "...lo pretencioso y lo cursi, son los distintivos de aquella arquitectura...", "... la carencia absoluta de originalidad es la distintiva de Buenos Aires, en todo, desde sus escritores hasta sus escultores...", "...todo importado, todo transportado, todo imitado... es la patria del plagio...", a la que

—según este amistoso turista— "...la hez de emigrantes enriquecidos, que son los amos de esta urbe, han hecho de ella el templo del ridículo, ostentoso y pueril".

Finalmente, sentencia: "...Ya he visto a esnobópolis... aún tiembla en mi cerebro, la visión de *puffilandia*". (En el idioma francés, la palabra *puffiste* se utiliza de manera familiar para designar una actitud petardista, aspaventosa.)

Corresponde, a fin de conocer mejor al autor de estos comentarios, citar su autodescripción y que ésta valga como presentación: "...Un escritor como Yo, consagrado y Triunfador, andando de pie firme sobre sus talones... yo soy el Único Escritor que llega en esta Única Actitud..." (las mayúsculas pertenecen al texto original).

Nada parece escapar a su estilo grandilocuente. Pero no por ello sus afirmaciones dejan de ser un indicio de algo que, por ejemplo, otro visitante mucho más calificado y prestigioso, pareciera haber percibido aproximadamente en la misma época. Se trata de José Ortega y Gasset.

Hemos extraído algunos párrafos en los que hace referencia a nuestro país. Los tonos serán otros, la mesura y la prudencia también. Sin embargo...

En "Carta a un joven argentino que estudia Filosofía", reflexiona: "Me ha complacido mucho su carta, amigo mío. Encuentro en ella algo que es hoy insólito encontrar en un joven, y *especialmente en un joven argentino*. Pregunta usted algunas cosas, es decir, admite usted la posibilidad de que las ignora" (el subrayado es nuestro).

Más adelante en el mismo texto, Ortega dice: "En las revistas y libros jóvenes que me llegan de la Argentina encuentro —respetando algunas excepciones— demasiado énfasis y poca precisión. ¿Cómo confiar en gente enfática?...", "...Hay que ir a las cosas, sin más. El americano, amigo mío —por razones que no es ocasión ahora enunciar—, propende al narcisismo y a lo que ustedes llaman *parada*...".

En otro trabajo del mismo autor, "Intimidades —La Pampa, promesas—" Ortega se adentra en la descripción del ser argentino, y dice: "...La forma de existencia del argentino es lo que yo llamaría el futurismo concreto de cada cual. No es el futurismo genérico de un ideal común, de una utopía colectiva, sino que cada cual vive desde sus ilusiones como si ellas fuesen ya la realidad". En relación con la forma en que la Argentina era vista en aquel momento en el exterior, comenza: "...Se habla mucho de este país. Se habla demasiado —es éste ya un problema curioso: la desproporción entre lo que aún es la Argentina y el ruido que produce en el mundo—, *se habla casi siempre mal. Se enumeran sus defectos, se llega a hacer del argentino un símbolo de humanidad deficiente,* pero insistiendo tanto en las faltas, en lo que el argentino no es, nadie se ha ocupado en descubrirnos lo que es..." (el subrayado es nuestro).

Probablemente los argentinos tampoco lo hemos hecho.

Si el alcance de estas últimas afirmaciones de Ortega es correcto, y no hay en realidad demasiados motivos para pensar lo contrario, ya en los años veinte no cosechábamos mucha simpatía en el exterior. Y más aún, pareciera ser que muchas de las razones por las que esto sucedía se asemejaban a las actuales.

Más ade'ante advierte: "...El europeo se extraña de que el gesto argentino —sigo refiriéndome al varón— carezca de fluidez y le sobre empaque. Si no se detiene creerá que no es más que ese gesto y su opinión sobre el hombre del Plata será, como suele ser, poco favorable".

Se formula casi nuestra misma pregunta: "... ¿Ha sido el argentino siempre así?"... Volveremos sobre su posible respuesta más adelante.

Asegura Ortega notar falta de autenticidad. Habla de un hombre a la defensiva, al que el europeo en primera instancia encuentra como semejante: semejanza de ideas, de aspecto y de idiomas. Pero lo que más le inquieta es esa actitud defensiva que dificulta la comunicación creando entre el interlocutor y el argentino una suerte de coraza protectora. Es interesante ver cómo se construye desde lo psicológico dicha protección. Dirá: "...Nuestro interlocutor adopta una actitud que, traducida en palabras, significaría aproximadamente esto: Aquí lo importante no es eso, sino que se haga usted bien cargo de que yo soy nada menos que el Redactor Jefe del importante Periódico X; o bien: Fíjese usted que yo soy Profesor en la Facultad Z...".

Según Ortega, al argentino le gusta su propia imagen, y vive atento a una figura ideal que de sí mismo posee, a tal extremo que lo que más le interesa, lo que más le preocupa, es la idea que él tiene de su persona. Padece de un narcisismo que fomenta dos vicios: el egoísmo y la vanidad. Y remata esta cuestión diciendo que los casos de vanidad más cómicos que ha conocido, los ha encontrado en la Argentina.

Otro libro que también merece atención, y que permite comenzar a introducir el pensamiento de los argentinos sobre sí mismos es *Mentalidades argentinas (1860-1930)* de Pérez Amuchástegui. El autor, tal como indica el título de la obra, intenta una compilación histórica a fin de poder reconstruir las "mentalidades" hacia fines del siglo XIX y principios del siglo XX. Entre las características que destaca se encuentra el espíritu "sobrador" del porteño, manifestado, por ejemplo, a través de la "a veces juguetona *cachada*" (broma, en argot porteño). Según sus propias palabras: "...En el fondo anímico de todo porteño palpita siempre un reo. La heterogénea mescolanza cosmopolita insuflada de petulante engreimiento, se sustantivó en la índole presuntuosa de ese porteño...". Amuchástegui habla también de la inautenticidad que no sólo comprendía a la elite sino a la nueva pequeña burguesía, que presentaba de otra forma la "porteñísima farolería en una cómica ostentación de comportamientos amanerados".

La suma de estas características, a la que se le podría adicionar el ser *fanfarrón* y *vanidoso*, no podía por lógica generar una buena relación con los habitantes del interior del país. Resulta notable una cita a los documentos de archivo de Manuel Belgrano, que se puede resumir en esta frase. Escribe Belgrano: "...El solo nombre de porteño causa a los provincianos un sentimiento de repulsa mucho más hondo que el de *realista*...". Osvaldo Soriano describe con lujo de detalles esta situación en su libro *Cuentos de los años felices*. En el relato titulado "Un amor de Belgrano", se hace una cruenta descripción de la relación entre porteños y provincianos. En este mismo orden de cosas, se puede agregar una carta de Tomás de Anchorena escrita en 1811: "...Lo que a mí más me desconsuela, es el odio tan manifiesto del que se han poseído todas estas gentes contra nosotros (los porteños)...".

Estos breves y significativos antecedentes, permiten extraer dos sencillas conclusiones. La primera hace a las características del porteño. Su estilo sobrador, soberbio y vanidoso aparece ya nítidamente en el siglo XIX. La segunda, los conflictos entre porteños y provincianos parecen estar próximos a cumplir doscientos años...

Mucho más recientemente, Raúl Scalabrini Ortiz analiza al argentino y al porteño, centrado en su "hombre de Corrientes y Esmeralda".

En *El hombre que está solo y espera*, hablando de los intelectuales y en relación con las afirmaciones de Ortega y Gasset anteriormente citadas, comenta: "...Un título universitario cualquiera basta para que un hombre inteligente caiga en la pedantería de evaluar en más su título que sus aptitudes exclusivamente humanas...".

Scalabrini Ortíz describe al porteño de manera mucho más positiva que cualquiera de los autores que han sido mencionados hasta ahora. Discrepará en algunos aspectos, sin dejar sin embargo de coincidir con otros, pero explicitando claramente que los dichos de Ortega y Gasset corresponden a los intelectuales. Él también los criticará, pero no extenderá las críticas a *su* "hombre de Corrientes y Esmeralda", *su* porteño arquetípico.

Hacia fines de la década del cincuenta, se publica *Teoría del argentino* de Arturo López Peña. El autor intenta realizar un análisis en el cual confluyen variables históricas, psicológicas, y hasta geográficas. En su trabajo, propone al porteño como una suerte de heredero del gaucho; gaucho que desarrolló su sentimiento de importancia individual y de superioridad en la lucha contra la naturaleza adversa. En la medida en que el desarrollo urbano lo atrae hacia Buenos Aires, se produce una cierta metamorfosis que va dando la figura del compadre primero, el compadrito más tarde, y finalmente el porteño.

El autor describe esta mutación con las siguientes palabras: "El compadrito señala un grado de evolución respecto del compadre. Éste, como recién venido a una sociedad que no comprende, se encierra en sí mismo clausurando los caminos de su alma. El compadrito, a la inversa, se va abriendo progresivamente a la sociedad y es por ello que sustituye su modo de agresión material por una manera, llamémosle cuasiintelectiva, de agresión moral; el porteño, por su parte, ser enteramente social aunque disconformista sube el último peldaño de la vida urbana y trabaja y pule más finamente este segundo tipo de agresión, convirtiéndola en esencialmente intelectual: he aquí la *sobrada*".

López Peña descubre en el lenguaje y hasta en el fútbol distintas formas del mismo fenómeno de la *sobrada* o *cachada*. En este deporte, la tradicional *gambeta* argentina pareciera ser no sólo una técnica puesta al servicio del equipo con el fin de obtener la victoria, sino un medio para desairar o sobre todo burlarse del rival para el beneplácito de la tribuna partidaria. Tanto es así, que en la lógica del hincha resulta coherente una frase comúnmente empleada como: "perdimos, pero qué baile les dimos".

Pese al proceso evolutivo señalado, el porteño se presenta como un "hombre en elaboración, en búsqueda de su propio destino...". Americanos vergonzantes y europeos frustrados, instalados en una tierra yerma y privada de los jugos nutricios de la tradición cultural, es finalmente la descripción del autor para el argentino de su tiempo.

La idea de un hombre en elaboración, aparece conceptualizada con mayor amplitud por Julio Mafud en *El desarraigo argentino*, cuya primera edición es contemporánea a *Teoría del argentino*. Entre muchas apreciaciones agudas y lúcidas, Mafud reflexiona sobre el efecto de la velocidad del desarrollo histórico argentino en la conformación de la identidad nacional. Las consecuencias de la inmigración —sobre las que volveremos oportunamente— y las sucesivas crisis históricas: 1810, fin de la colonia; 1820, caos y anarquía; 1835 a 1852, colonialismo rosista; 1853 a 1880, la organización nacional; antes de 1880, el fenómeno inmigratorio e irrupción del peronismo en 1943 son algunos de los hitos históricos reseñados por Mafud.

No parece incongruente con el análisis del autor agregar una serie de eventos acaecidos a posteriori del último que él menciona. La lista podría entonces aumentarse con: la revolución de 1955 y la división entre peronistas y antiperonistas, los fallidos gobiernos militares de fines de los años sesenta y principios de los años setenta, el Proceso Militar y las secuelas de la represión antisubversiva, la guerra de las Malvinas a principios de los años ochenta, los diez años de democracia, la hiperinflación, las hiperdevaluaciones, la estabilidad económica (?), y la aplicación del modelo neoliberal menemista y sus consecuencias estructurales.

Creemos que todos estos acontecimientos poseen la misma influencia que observara Mafud en los que él refiere. Todos ellos importan cambios decisivos cuyas consecuencias, aún no es posible juzgar equilibradamente por su cercanía en el tiempo. Es muy difícil evaluarlos e incorporarlos de manera coherente a nuestra historia. Nos costó no poco esfuerzo hallar una visión integradora de lo sucedido durante el siglo XIX (si es que se puede decir que la hallamos). Lo mismo, pero aún con más intensidad, sucede con la historia del peronismo en la primera mitad de este siglo. Quizás en el futuro, con el auxilio de la perspectiva del tiempo que enfría las pasiones y racionaliza los análisis, encontremos la síntesis necesaria para aquilatar como experiencia y aprendizaje el hecho histórico.

El desarrollo de las capacidades de síntesis y de incorporación de experiencias interviene activamente en la evolución y consolidación de la identidad. Afina los mecanismos de intercambio con el ambiente, facilitando el aprendizaje y la acción transformadora sobre el medio. El proceso se hace mucho más intrincado debido a las pasiones involucradas y a los intereses contrapuestos, cuando la identidad que está en pugna es una identidad social o nacional.

Acontecimientos históricos de gran importancia se sucedieron en muy poco tiempo. Como dice Mafud: "Todos los mundos perviven yuxtapuestos, sin que ninguno se haya asimilado a los otros... Los vertiginosos cambios no permiten la madurez psicológica".

Se puede pensar, siguiendo esa línea de análisis, que esta inmadurez psicológica que en parte es producto de circunstancias históricas como las citadas, es el caldo de cultivo ideal para la generación de actitudes que intenten vanamente ocultar inseguridad y sentimientos de inferioridad, cuya contrapartida se exprese, por ejemplo, en un comportamiento soberbio o pretencioso.

La idea de los "mundos yuxtapuestos" también la encontramos expuesta por otro autor argentino. Nos referimos a Arturo Jauretche quien en su *Manual de zonceras argentinas* hace mención a las ideas de Sarmiento y de Alberdi, acerca de "cambiar" la estirpe criolla mediante la introducción (vía inmigración) de sangre sajona; y acertadamente advierte que intentaron realizar un país no sobre sus propios elementos de cultura, sino fabricándolo basándose en una abstracción conceptual. Pero paradójicamente, el resultado no fue el esperado, y a este respecto dice Jauretche: "Sin embargo, los aportes de sangre europea que se vertieron a raudales sobre el país no consiguieron establecer una síntesis humana muy distinta de la precedente".

No quisiéramos omitir en esta reseña histórica, la mención de otros autores que —por sólo nombrar a algunos de los que no han sido citados— ocupan un importante lugar, como Mallea, Martínez Estrada y Denevi, entre otros.

Hay algunos elementos comunes en todos ellos, que resulta interesante subrayar.

En primer lugar, pareciera ser que las atribuciones de soberbia y presuntuosidad registran antecedentes bastante lejanos en el tiempo. No habrá escapado al lector que ellos se retrotraen hasta el inicio de este siglo. Por lo tanto, al interrogante relacionado con el momento en que esta historia se inicia, la respuesta no deja de ser sorprendente: desde hace casi cien años.

Esta conclusión lleva a pensar que el mantenimiento en el tiempo sugiere la hipótesis de un cúmulo de factores históricos y sociales que han confluido desde su génesis hasta su consolidación presente.

Por otra parte, es interesante señalar que de manera casi unánime los autores presentados en este capítulo hablan del porteño; confirmando y reiterando una vez más la injusta ecuación: argentino = porteño.

¿De quién si no habla Ortega y Gasset cuando menciona al "hombre del Plata"?, ni qué decir de Scalabrini Ortiz. Mucho más abarcativa en cambio es la visión de Mafud: el desarraigo es el desarraigo argentino. Pero ¿cómo hablar de "lo argentino" sin hablar del porteño y de Buenos Aires?

No parece haber hitos históricos —con la sola excepción de la inmigración— a los que pueda atribuírseles un peso decisivo o excluyente en el origen de tal o cual característica nacional. Es en cambio observable una sucesión de eventos que permiten la consolidación de un estilo a través del tiempo.

Es imperativo destacar los efectos del fenómeno inmigratorio, porque nuevamente, ¿cómo podría describirse la "esencia" de lo argentino sin mencionar a los inmigrantes?

En esta fusión entre quienes ya habitaban el país y los recién llegados, mucho se produjo de la combustión que motorizó luego la figura del argentino, y muy especialmente la del porteño. En palabras de Mafud: "La ruptura o la fractura fue casi total. El que vino (el inmigrante) y el que estaba (el criollo) quedaron desarraigados en un maremágnum de culturas, de mentalidades y de *status* sociales inconexos".

El hallazgo de un libro del conocido escritor italiano Edmundo De Amicis, titulado *Impresiones sobre la Argentina*, en donde relata un viaje al país realizado en el año 1884, permite por medio de la descripción de las características que observara en los colonos recién llegados de Italia, ejemplificar la idea planteada por Mafud.

Según De Amicis, algunos de ellos "...habían desembarcado en la República Argentina hambrientos e ignorantes, se habían transformado por completo, con el cambio de fortuna, convirtiéndose en hombres civilizados, con cierto baño de política y de gusto literario, y llegado a ser lo que se llama hombres de peso...". Pero quizá lo que más sorprendió a De Amicis fue observar que entre esta gente existía la "conciencia de la Patria" (en este caso, Italia). Siguiendo sus palabras, aun entre "los colonos más toscos" existía un nuevo sentido de orgullo italiano "...nacido de encontrarse allí, en país extranjero, en medio de colonias de otros pueblos, entre los cuales se despierta y se mantiene siempre vivo el sentimiento de la emulación nacional, estimulado con la presencia de un pueblo indígena, más numeroso, que los juzga a todos...". De Amicis relata conmovido que muchos de los colonos decían: "...Ahora nos va bien, pero aun así, nuestros recuerdos, las afecciones nuestras están siempre allá, donde hemos dejado nuestros muertos...". Y sigue describiendo: "...la figura de Italia coronada de torres, adosada a los armarios: todo lo que les quedaba de su país y de su familia. Una mujer se excusó de no haber puesto fuera la bandera diciendo: vea usted bien; el viento nos la ha destrozado; pero esta semana haremos otra, porque la bandera hay que tenerla".

Los colonos (especialmente las mujeres) manifestaban el deseo de volver, aunque sólo fuera por una vez, al pueblo del cual se habían ido. El autor culmina la narración con una vívida descripción de su última imagen de la ribera del Paraná: "Aquella pobre labradora italiana, vista desde lejos con un niño en brazos nacido en el Paraná; con otros hijos alrededor nacidos en Italia; delante de aquella cabaña solitaria sobre la cual ondeaba la bandera italiana en medio de las indefinidas Pampas de América...".

Casi cien años después, los nietos o bisnietos de aquellos inmigrantes, iniciarían el camino inverso al de sus antepasados. Se generó así otro movimiento migratorio, pero esta vez en sentido contrario, es decir: desde la Argentina hacia el exterior. El mismo influyó intensamente en la conformación de nuestra imagen nacional externa. Se trata de las emigraciones sucedidas a partir de la década del setenta.

Aun entrados en los años noventa, se observa su impacto en muchos países: España, México y Venezuela, entre otros. La imagen que de los argentinos se tiene en muchos de ellos está poderosamente impregnada de la presencia de tales inmigrantes.

Sin embargo, la historia no quedaría completa si, dejando de lado las cuestiones migratorias, no consideráramos las significativas consecuencias de lo que podría denominarse el "gran fracaso argentino". Ése que todos sentimos cuando nos preguntan qué pasó con un país "tan rico"; o cuando nuestros abuelos nos cuentan de su sorpresa de inmigrantes al llegar al país a principios de este siglo. Un país que presumía de estar entre los "más ricos del mundo".

Eran tan altas las expectativas sostenidas, y tan grande la certeza de que el resultado final sería exitoso, que de tanto creer en un futuro dorado se olvidó cultivar el presente para asegurarlo. La frustración es proporcional a las expectativas insatisfechas. En términos más psicosociales, la deprivación relativa —entendida como la percepción que tienen las personas de que existe una discrepancia significativa entre lo que efectivamente tienen y lo que creen que merecerían tener— es sumamente elevada.

No cabe duda de la importancia de la dimensión histórica en el análisis de temas como las identidades nacionales, cuya multiplicidad estructural requiere para su comprensión de un cuidadoso estudio de aquella.

Por eso, hasta aquí, la historia. ¿Cuál es la situación actual? Para responder a este interrogante, veremos los resultados obtenidos en nuestra más reciente investigación.

DE CÓMO NOS VEN

—¿Cómo se suicidan los argentinos?
—Se arrojan desde la cima de su ego.

Durante la realización de la investigación acerca de las representaciones sociales de los países americanos, no faltaron momentos de especulación con respecto a las características que les serían atribuidas a cada país.

Intuíamos que diversos factores tendrían influencia en los resultados finales. Tales como: los conflictos regionales limítrofes, la presencia de países hegemónicos en el área (ya sea por razones económicas, ideológicas o la combinación de ambas), la difusión de noticias por televisión u otros medios de comunicación sobre el narcotráfico, la delincuencia en general o la violencia política.

En otro orden de cosas, era presumible que las respuestas provenientes de Estados Unidos podrían estar conformadas de acuerdo con parámetros que diferirían de los utilizados para los países latinoamericanos intervinientes (Brasil, Chile, Perú, Costa Rica, Venezuela y Argentina), que probablemente se asemejarían entre sí.

Muchas de las predicciones luego se vieron confirmadas. Sin embargo, más difícil resultó anticipar qué sucedería en el caso de nuestro país.

La imagen argentina actual ¿estaría constituida por sus características psicosociales más negativas, similares a las vertidas en el capítulo anterior? o, por el contrario, ¿Quedarían aún vigentes recuerdos del desarrollo económico, el nivel educacional o cultural de tiempos mejores? ¿Qué secuelas habrían dejado los problemas económicos y políticos de los últimos veinte años? ¿Cómo incidirían en el momento de elegir los rasgos más distintivos nuestros récords mundiales de inflación, o la secuencia de gobiernos civiles interrumpidos por dictaduras militares, o la Guerra de las Malvinas? ¿Se le atribuiría alguna importancia a los cinco Premios Nobel que la Argentina produjo?

Tampoco se descartaban posibles combinatorias: "instruidos y antipáticos", "soberbios y cultos", "autoritarios y hospitalarios", "inestables y alegres", o cualquier otra en la que factores positivos y negativos se alternasen.

En síntesis, qué elementos serían los decisivos en el momento de elegir una descripción posible de "los argentinos".

Ya sea quien sólo analice los datos presentados en este capítulo, como quien consulte la ampliación de los mismos en el anexo estadístico, podrá elaborar también sus propias hipótesis y sacar sus conclusiones.

Nuestro enfoque se centrará sólo en aquellas respuestas que aludieron de manera directa o indirecta al objetivo principal, o sea: la imagen exterior de la Argentina. Técnicamente la denominaremos: heteroestereotipo.

Este concepto, que quizá resulte extraño para los no conocedores de temas psicosociales, merece algunas consideraciones provisorias e introductorias para familiarizar al lector.

Los heteroestereotipos son una clase de estereotipo que puede definirse como la imagen tipificante (el "prototipo") que los miembros de un grupo poseen de otros grupos (sean éstos nacionales o como en este caso, extranacionales).

Pero, ¿qué se entiende por estereotipos? Este término, propuesto por W. Lippmann en 1922, alude a imágenes que llevamos en nuestras mentes, que funcionan como filtros de la información que nos rodea, y que afectan de este modo la percepción que tenemos de la realidad, provocando una simplificación o selectividad en nuestras representaciones.

Las imágenes que percibimos y construimos de países o grupos sociales (por ejemplo: grupos raciales, profesionales, género, etc.) se encuentran muchas veces sustentadas en los prejuicios que tenemos respecto de ellos. Los prejuicios son un producto derivado de los estereotipos, ya que estos últimos intervienen en la asignación tanto de individuos como de atributos a los distintos grupos.

En algún sentido, los estereotipos conforman un tipo de opinión; pero de características muy diferentes de las opiniones que se pueden sustentar en general.

Veamos cuáles son esas diferencias:

a) Son rígidamente sostenidos, aun cuando muchas veces se encuentren elementos que los desconfirmarían. Por ejemplo, alguien puede comentar, "Mi compañera de trabajo me parece poco inteligente" y sin duda se trata de una simple opinión. Pero si en cambio lo que se afirma es "Las mujeres son poco inteligentes", nos encontramos frente a un estereotipo, ya que no se trataría de la evaluación de un caso particular sino de una cuestión de género.

b) Sirven de apoyatura a la formación de prejuicios (raciales, religiosos, etcétera).

c) Involucran por igual a todos a quienes se les aplica, por ejemplo, "No me gusta ninguna persona judía", o, "Si es argentino, es antipático"; es decir, que son excluyentes.

Cuando este tipo de afirmaciones son compartidas por los miembros de un grupo con respecto a otro, se denominan hetero-estereotipos. Sería el caso de la imagen que "los" médicos tienen de "los" psicólogos (y viceversa) o, en un nivel mucho más amplio, lo que piensan "los" chilenos de "los" argentinos, etcétera.

Es importante resaltar que el carácter socialmente compartido de los estereotipos es una condición indispensable para su existencia. Dejemos momentáneamente de lado la cuestión teórica, y abordemos los datos de la investigación.

Serán incluidos junto a los de cada país, los obtenidos en la Argentina de manera de facilitar las comparaciones recíprocas.

Los resultados están constituidos por las contestaciones dadas por los participantes al cuestionario CPC (Cuestionario de Preferencias y Característica). Por medio de él, se solicitaba la confección de listados de países preferidos (10 como máximo) y no preferidos (5 como máximo), tarea que se realizaba a partir de un listado de 30 países americanos.

Luego se pedía la caracterización de 12 de ellos, sobre la base de una lista de 54 adjetivos posibles. El grupo de 12 países y los adjetivos, ya habían sido prefijados, siendo iguales para todos los sujetos participantes.

Estados Unidos

Analicemos entonces las respuestas obtenidas. Las primeras provenían de la Universidad de Kansas, en Estados Unidos.

A la luz de la información que arribaría luego, éstas serían las más positivas en cuanto a su descripción de la Argentina.

La lista de preferencias, como era esperado, estuvo encabezada por Estados Unidos y luego Canadá. Argentina no aparecía ni entre los 10 preferidos ni entre los 5 rechazados.

A la hora de las caracterizaciones, la describieron como un país "hospitalario, pobre, sumiso y subdesarrollado". Estas características les fueron adjudicadas también a Uruguay, Costa Rica y México. En general, la Argentina no parecía ser percibida de manera diferente de otros países latinoamericanos, con excepción hecha de los muy rechazados como Cuba o Colombia; o los "simpáticos, alegres y hospitalarios" brasileños.

Al llevar a cabo la toma del mismo cuestionario entre estudiantes universitarios argentinos, se encontró que en cambio, Estados Unidos es un país que polariza importantes adhesiones y rechazos. Es así que figura tercero en la lista de países preferidos (a continuación de Argentina y Brasil), pero también segundo en la de no preferidos (precedido por Bolivia).

Por otra parte, fue descrito como "desarrollado, fuerte y estable". Evidentemente, los Estados Unidos son una figura lo bastante significativa en el contexto de los países americanos como para poder ser claramente diferenciada del resto y, dada su omnipresencia en las cuestiones regionales, incitar apoyos y oposiciones.

Ulteriores análisis estadísticos, llevados a cabo con estos resultados, permitieron establecer las —por otra parte presumibles— correlaciones entre el perfil ideológico de los encuestados y su preferencia o no preferencia por países tales como Estados Unidos o Cuba.

Brasil

Un capítulo diferente lo constituyen los datos provenientes de Brasil. De acuerdo con las conclusiones que se derivan de diversas investigaciones realizadas en el área, los vínculos y cercanías entre países vecinos o limítrofes describen relaciones que permiten una más clara individualización de cada uno (España-Portugal, Venezuela-Colombia, Estados Unidos-Canadá, etcétera). Cobran así relevancia aspectos más personales y vinculares, que hacen a los contactos reales humanos y no tanto a las imágenes creadas a través de los medios de difusión o de la literatura en general.

Somos el quinto país preferido sobre 10 posibles, en los resultados procedentes de la Universidad Católica de San Pablo. Nuevamente, no aparecemos en la lista de países menos preferidos (la que está encabezada por otros limítrofes: Paraguay y Bolivia). Las características más destacadas sobre la Argentina fueron: "inestable, discutidor, soberbio, y alegre". Como puede verse, aquí comienzan a aparecer algunos de los rasgos que luego se harán mucho más frecuentes.

El adjetivo "soberbio" fue atribuido por los brasileños sólo a dos países de América: Argentina y Estados Unidos. Si bien aún no se han concluido los análisis correspondientes a este apartado en particular, los trabajos preliminares llevan a pensar que en la atribución de soberbia a los dos países, se barajaron premisas y contenidos diferentes. La soberbia vinculada con los argentinos estaría fundamentalmente basada en la ponderación de rasgos psicológicos individuales, mientras que la atribuida a Estados Unidos se correspondería más con una dimensión macropolítica (por ejemplo, su política exterior).

Bastante más positiva en general, resultó la evaluación que los argentinos realizaron de Brasil. No sólo fue escogido como el segundo país más preferido (y no figuró en ningún puesto de la lista de no preferencias), sino que lo calificaron como "alegre, hospitalario y simpático". Estos mismos calificativos fueron usados por la mayoría de las personas encuestadas en los distintos países participantes de la investigación cuando se les pidió que describieran a Brasil. Como risueñamente dijera una colega brasileña, pareciera ser que la imagen que se tiene en América de Brasil es la de "José Carioca". Carnaval, diversión y vacaciones.

Venezuela

De la Universidad Central de Venezuela llegaron los datos correspondientes a ese país. La Argentina aparece en el octavo lugar de las preferencias, pero también en el tercero de las no preferencias, precedida en este último caso por Estados Unidos y Colombia (tradicional rival regional de Venezuela).

La descripción de Argentina guardó mucha más relación con su tercer lugar en la lista de los rechazos que con su lejano octavo en la lista de las preferencias. Los calificativos empleados fueron: "soberbio, antipático, y subdesarrollado". "Antipático" y "soberbio"

nos fueron atribuidos con exclusividad, ya que no fueron empleados con ningún otro país americano.

Cuando los argentinos describieron a Venezuela, mencionaron
como las características más destacadas las de "amigo, simpático
y pobre".

Pensamos que esta discrepancia que se plantea con Venezuela
se repite con otros países americanos (por ejemplo, Uruguay).
Grupos nacionales de los que tenemos imágenes positivas, guardan en cambio una imagen negativa nuestra. Esto provoca
muchas veces una sensación semejante a la del "amor no corres-
pondido", con sus inevitables secuelas de desazón y desilusión; o
bien, en el plano de los contactos personales, actitudes de extrañeza frente a reacciones o comentarios adversos. Con frecuencia
nos invade un cierto desconcierto que podríamos ejemplificar con
una de las preguntas mencionadas en la introducción: ¿por qué
piensan así? Las percepciones mutuas nos remiten a un sistema
dinámico de implicancias, cuya articulación teórica demandará un
espacio específico.

Chile

Una de las relaciones más conflictivas en el orden regional es
sin duda la que Argentina mantiene con Chile. Los resultados
obtenidos, provenientes de la Universidad Diego Portales de Santiago de Chile, son testimonio fiel de esta situación. En este caso
se debe señalar que, a diferencia del anterior (Venezuela), existe
un elevado grado de reciprocidad.

Argentina es mencionada en el sexto puesto de las preferencias, y en el cuarto de los rechazos. Chile, por su parte, aparece
en un alejado noveno lugar en las preferencias argentinas; y en un
tercer lugar entre las no preferencias.

Las caracterizaciones recíprocas son sumamente sugerentes.
Argentina es vista como un país "soberbio, antipático, e inestable",
mientras que los argentinos eligieron para Chile: "subdesarrollado, expansionista, enemigo, y desconfiable". La intensidad de las
mutuas descripciones requiere de un tratamiento diferenciado. No
es la primera vez que situaciones como ésta se plantean entre países limítrofes (el citado ejemplo entre Venezuela y Colombia, etcétera). Este tipo de relación suele designarse como "imagen en
espejo" (Bronfenbrenner, 1961). Su autor, acuñó inicialmente

dicho término para referirse a la existente —en aquel momento— entre Estados Unidos y la Unión Soviética. Sin embargo, muy pronto se vio su utilidad para explicar las relaciones conflictivas entre países vecinos cuando ellos se perciben de manera igualmente negativa.

Los reiterados problemas limítrofes entre Argentina y Chile han dejado sin duda secuelas en ambas naciones.

Esta similitud en percepciones negativas recíprocas genera una simétrica asignación de culpabilidades. A ambos lados de la cordillera, se piensa que el "otro" es el que ha tomado ventaja, el "otro" es el expansionista, el "otro" es el responsable, etcétera; lo que tiene una importante influencia en las comunicaciones entre los dos países. Es decir que, en este caso particular, las percepciones negativas pueden efectivamente afectar a los comportamientos reales de los individuos comprometidos, acentuando recelos y hostilidades más o menos encubiertas.

Costa Rica

Los datos provenientes de la Universidad de Costa Rica ubican a la Argentina en el cuarto puesto de las preferencias, lo que constituye la mejor posición de la Argentina dentro de esta investigación. Curiosamente, la misma se da en el caso del país latinoamericano participante más alejado del país. Por otra parte, no ha sido incluido en la lista de naciones menos preferidas.

La descripción de la Argentina contempla dos características positivas ("amigo", "alegre"), caso único entre todos nuestros datos. Sin embargo, la tercera característica (*soberbio*) converge con las descripciones realizadas por los demás países de latinoamérica, ya que *todos* ellos la utilizaron.

La caracterización de Costa Rica realizada por la muestra argentina, parece influida por la distancia más que por el conocimiento o el contacto directo con este país. En ella se incluyen tres aspectos negativos ("subdesarrollado", "pobre", "débil") y uno positivo que es recíproco ("alegre").

Perú

Los últimos datos que llegaron a nuestro poder fueron los de la Universidad de San Marcos en Lima (Perú). La Argentina aparece en ellos ocupando el séptimo lugar dentro del listado de preferencias, y no es en cambio mencionada entre las no preferencias.

La descripción realizada por la muestra peruana incluye dos aspectos negativos ("soberbio" y "antipático") y uno positivo ("amigo").

Es interesante observar a la luz de acontecimientos sucedidos *a posteriori* de la recolección de los datos, que Ecuador se elige como *el segundo país más rechazado*, sólo precedido por Cuba, que fue habitualmente mencionado en el listado de no preferencias. Nuevamente los problemas limítrofes parecieran mostrar su influencia.

Una observación interesante, es la vinculada al hecho de que Argentina figuró siempre entre el grupo de los diez preferidos por las muestras de las naciones latinoamericanos intervinientes, pese a las caracterizaciones mayoritariamente negativas y con particular énfasis en dos rasgos: "soberbio" y "antipático".

Esta ambivalencia, en primer lugar, señala que todo lo inadvertido que es el país para los estadounidenses (o para muchos europeos), no lo es para la mayoría de los latinoamericanos. Pero además, subraya la compleja percepción —y también en buena medida la actitud— de combinación entre atracción y rechazo que genera la Argentina en el contexto regional.

En el capítulo siguiente, se presentarán los datos con respecto a cómo nos vemos a nosotros mismos, y a cómo creemos que los demás nos ven: confrontando sincronías y divergencias.

DE CÓMO NOS VEMOS
Y CÓMO CREEMOS QUE NOS VEN

Dos perros argentinos se encuentran en Barcelona. Uno de ellos está sarnoso y lleno de pulgas. Se saludan, y el otro perro le pregunta al sarnoso:
—¿Cómo andás?, che.
—Bien, ¿y vos?, che.
—¿Yo también ando bien, che. Y decime, ¿vos de qué raza sos?
—Y..., allá en Buenos Aires yo era dálmata, che.

Nos preguntábamos si habría coincidencias entre las autodescripciones y los datos obtenidos en el exterior. Así también, si existía algún grado de conciencia de cómo éramos vistos por los demás.

A tales efectos, fue entonces importante cotejar las opiniones obtenidas en el extranjero con las de los argentinos. Es decir que, en términos teóricos, se contrapondrían los heteroestereotipos a los autoestereotipos. Se entenderá por estos últimos, la imagen tipificante (prototípica) que tienen de su propio grupo los individuos que lo forman (es decir, se está comparando lo que los demás —en este caso, extranjeros— piensan de nosotros con lo que nosotros pensamos de nosotros mismos).

Los datos argentinos fueron relevados entre estudiantes de la Universidad de Buenos Aires y de la Universidad Nacional de Córdoba.

Esta información permitía la consideración de uno de los más importantes indicadores de la identidad nacional: la imagen nacional.

Las preferencias mostraron en un primer lugar a la Argentina, lo que no es sorprendente ya que en casi todos los casos que esta encuesta ha sido realizada, el propio país ha sido elegido como el preferido mayoritariamente (más del cincuenta por ciento de los sujetos consultados en cada país). La excepción la constituye la muestra peruana, que eligió a Brasil en primer lugar.

Sin embargo, la presencia de Argentina en el primer lugar, es una de las que se obtuvo *con menor porcentaje* (de acuerdo) si se la compara con los participantes de otros países.

Así, seleccionada para la primer ubicación por 59% de los sujetos: sólo por encima de 55,7% obtenido en Venezuela (para Venezuela en el primer lugar), y muy por debajo de Brasil (85,0%), Estados Unidos (80,0%) o Costa Rica (72,5%). En la muestra peruana sólo 17,5% de los sujetos optó por su país para el primer lugar constituyendo la excepción de este trabajo.

Tomando en cuenta los porcentajes anteriores, lo que ellos permiten inferir es que en los resultados argentinos más del 40% de los encuestados prefirieron a otra nación (o a otras) por encima de la Argentina.

Llegado el momento de realizar su autodescripción, los argentinos participantes eligieron los siguientes calificativos: "subdesarrollado", "corrupto", "dependiente", e "inestable".

Estos atributos enteramente negativos, aluden a aspectos político-económicos. Como se desprende de otras investigaciones (Montero, 1993), muchas veces la autoimagen negativa se encuentra asociada con la dimensión política, entre otras.

Siguiendo a esa autora, se ve cómo "...la acción de los gobernantes y del gobierno en general, la corrupción reinante en la administración pública, la acción de los políticos en general, el desequilibrio social y la pobreza del país, los problemas económicos que afectan al país y a su gente, la inseguridad debida a la delincuencia y a la represión, el bajo nivel de conciencia ciudadana..." son factores influyentes, que también es posible detectar nítidamente en el pasado reciente y en la situación actual de la Argentina.

Pese al notable tono negativo que impregna a la descripción de nuestro país, la mayoría de las personas lo eligió como el más preferido, lo que induce a pensar que dicha preferencia está mucho más sustentada en elementos afectivos que en elementos racionales.

Al haber llegado a esta altura de la investigación, se determinó que era importante indagar también qué era lo que los encuestados argentinos creían que se pensaba en el exterior de la Argentina, y especialmente en los países latinoamericanos. En esta oportunidad, en el plano teórico, estaríamos haciendo referencia a los exoestereotipos (imagen tipificante que el grupo —"argentinos"— cree que le es atribuida por otros grupos —"extranjeros"—).

Estos datos, resaltan la significación de un aspecto constitutivo de las identidades sociales: el grado de concordancia o coincidencia entre lo que se piensa en este caso del propio grupo, y cómo él es efectivamente visto por los demás. A la vez que aporta información referida al conocimiento o conciencia de la negatividad de nuestra imagen internacional.

Las respuestas obtenidas mostraron un interesante nivel de similitud tanto en relación con las autodescripciones como con las caracterizaciones hechas por sujetos de otros países: "subdesarrollado", "corrupto", "inestable" y "soberbio", fueron las elegidas con más frecuencia. Por lo menos dos de ellas ("inestable" y "soberbio") habían sido seleccionadas asiduamente en las respuestas sobre Argentina que fueron recogidas en el exterior.

Esto último pareciera indicar, que existe alguna forma de conciencia sobre cómo somos vistos en el extranjero.

Cabría aquí interrogarnos si esta virtual conciencia podría tener efecto en la conducta real de los argentinos con respecto a los extranjeros. ¿Bastará saber que normalmente muchas de nuestras actitudes son consideradas soberbias o pedantes para entonces intentar modificarlas? O, en cambio, ¿será que pensamos que si bien somos juzgados de soberbios, ello es injusto y por lo tanto no tenemos que preocuparnos al respecto? Por el momento dejaremos pendientes estas preguntas, aunque desde ya es posible anticipar que si bien ser consciente de algo que se vuelve en forma negativa hacia nosotros mismos constituye un buen inicio, de ninguna manera garantiza que sea posible la modificación del comportamiento. Si fuera así, y los conflictos se resolvieran tan fácilmente, los psicólogos tendrían mucho menos trabajo.

El paso que sigue habitualmente es uno de los más difíciles de realizar. Se intentará, buceando en los conceptos teóricos disponibles y aportando además conceptualizaciones propias, aproximar explicaciones relativas a la dinámica psicosocial subyacente bajo los resultados expuestos.

UN POCO DE TEORÍA

—¿Qué es el narcisismo?
—Es el pequeño argentino que todos llevamos
dentro.
—¿Por qué "pequeño"?, acota un argentino presente.

Nos proponemos en este capítulo avanzar sobre las posibles
explicaciones que la psicología aporta respecto de los procesos que
pudieran estar involucrados en el origen, difusión, y sostenimiento
de los estereotipos sociales.

En el caso de los argentinos, estos se manifiestan a partir de
un conjunto de afirmaciones, las que —por su grado de consenso
y generalización, inclusive a través del paso del tiempo— indican
que estamos ante un estereotipo singularmente sólido y negativo.

Las ideas que serán presentadas en este capítulo (se intentará
hacerlo de la manera más amplia y didáctica que sea posible) pretenden comenzar a deshilvanar la enmarañada trama de elementos que participan desde distintos órdenes en la formación, no
sólo de estereotipos y prejuicios sociales, sino también en la de las
identidades sociales y nacionales.

¿Qué es lo que podemos decir específicamente los psicólogos
respecto de las identidades nacionales, y muy en particular, respecto de la nuestra? ¿Cuáles son los conceptos que pueden ayu-
dar a comprender estos fenómenos?

Trataremos de exponer en este apartado algunos de los enfoques teóricos que abordan estas cuestiones, de una manera sinté-
tica y sencilla. Como se verá, no es posible aproximarse a estos
problemas recurriendo a un único marco teórico.

Existen dentro de la psicología social conceptualizaciones
como las de H. Tajfel, J. C. Turner, W. Doise, o H. Kelman, quienes —entre muchos otros autores— contribuyeron desde su particular punto de vista al análisis de estos temas.

Sus aportes han sido creativos y esclarecedores. Pero las concomitancias implícitas en los procesos de formación de identida-

[43]

des que tienen lugar en Latinoamérica poseen una especificidad propia que nos obligará a proponer adicionalmente otras líneas de estudio.

Las imágenes y las identidades sociales no se imponen, sino que son el producto de procesos de construcción social que implican una tarea colectiva y cotidiana. Dicha labor no sucede en el vacío, sino que se realiza en el contexto histórico, cultural, político y económico que caracteriza la situación de cada grupo social.

Diversas teorías han tratado, a partir de los años cincuenta, de explicar este proceso de construcción de identidades. Pero la mayoría de ellas han hecho hincapié en la génesis de las identidades sociales de carácter positivo (Montero, 1993a). La presencia de identidades sociales negativas limita los alcances de estas postulaciones teóricas.

En general, se afirma que los grupos sociales necesitan definirse positivamente (H. Tajfel, 1982). Esto sería así porque se derivan aspectos importantes del propio autoconcepto de las personas a partir de la pertenencia a distintos grupos. ¿Cómo se puede ilustrar esto? Por ejemplo, si está en juego nuestra pertenencia a un partido político, de alguna forma está en juego nuestra identidad política; que a su vez es parte también de una categoría mayor: nuestra identidad personal. En este caso será evidente que nuestra pertenencia a un partido político tiene que estar valuada de forma positiva con respecto a nuestra no pertenencia a otros partidos. Es decir, preferimos un partido a otros porque representa aquellos ideales o valores que coinciden con nuestra visión de las cuestiones públicas. Valoramos positivamente a ese partido (o grupo) y ello nos permite, por otra parte, el doble juego de afirmar nuestra identidad a través de nuestra pertenencia a él, y así también diferenciarnos de los demás, constituyendo dicha pertenencia una afirmación indirecta de la identidad personal.

Tendemos a la construcción de un autoconcepto positivo, y por ello tenemos necesidad de pertenecer a un grupo que esté también positivamente valuado: porque así se contribuye a su formación. Puede pensarse entonces que "la identidad social es aquella parte del autoconcepto de un individuo que deriva del conocimiento de su pertenencia a un grupo social, junto con el significado valorativo y emocional asociado a dicha pertenencia" (H. Tajfel, 1982).

Pero ¿cómo percibimos y diferenciamos a los grupos sociales?

Cuando las personas observan la realidad, estructuran de

diversas maneras las diferencias que encuentran en ella, mediante un proceso, que siguiendo al mismo autor, vamos a llamar *categorización social*. No nos relacionamos con el entorno social analizando uno por uno los casos de la realidad, sino que lo hacemos por medio de categorías como, por ejemplo: "los rubios", "los judíos", "los franceses", "los gordos", "los políticos", "los argentinos". A través de ellas este entorno es "re-construido", y lo que se produce es una construcción social.

Las resultantes de estos procesos constituyen lo que algunos autores, estudiosos en profundidad de los fenómenos de formación de las imágenes y de las identidades nacionales, llaman "etiquetamientos". Salazar (1987) señala que: "El proceso de etiquetamiento es una realidad sociopsicológica. A través de la vida usamos conceptos que establecen diferencias; muchas veces en forma rígida, a veces en forma peyorativa, otras con connotaciones positivas: se es niño, viejo, hombre, mujer, negro, colombiano, argentino, ingeniero, delincuente, universitario, burgués, etcétera. Algunas de estas etiquetas son transitorias, otras más permanentes. Algunas las aceptamos, otras las rechazamos, de otras nos vanagloriamos aun cuando sean autoimpuestas. Sabemos que constituyen un elemento básico de la identidad".

Ahora bien: ¿con qué criterio vamos a hacer que algunos sujetos u objetos formen parte de una categoría, y otros formen parte de otra?

Aparentemente, a partir de la observación de ciertas características propias de cada uno, lo asimilamos en cada caso. Es decir que formamos clases o agrupamientos alrededor de ciertos rasgos que abstraemos y que consideramos comunes para los elementos del grupo así estructurado. Pero el proceso no es tan racional como parece a primera vista.

Cuando son categorizados objetos físicos como libros, vasos o plantas, la tarea resulta sencilla. Pero cuando categorizamos el mundo social (personas y situaciones sociales) hay otros elementos que intervienen activamente y cuya influencia puede ser decisiva, porque la clasificación implícita en este tipo de categorizaciones es una que produce otros efectos, dado que se trata de rasgos con valor social (por ejemplo: nacionalidad, etnia, religión o pertenencia política). Las categorías se construyen en la convivencia social, y se van enraizando dentro de la cultura. Por medio de la socialización se transmiten a los miembros individuales de la sociedad ciertas imágenes de determinados grupos. Se produce un aprendizaje social mediante el cual la información social se va incorporando al sistema personal de valores. Cuando las personas realizan categorizaciones asignando ciertas características a determinados individuos o grupos, introducen de este modo variables normativas y valorativas. Es decir, intervienen normas, valores, actitudes y creencias de quien categoriza. Por lo tanto, se puede pensar que la construcción de cada categoría es social: va más allá de lo perceptivo, de lo individual o de lo intrasubjetivo. Sin olvidar que los seres humanos se sienten y se saben percibidos, y muchas veces ajustan su comportamiento a esta situación.

Es a través de la experiencia social cotidiana, por medio de intercambios recíprocos, que incorporamos y aprendemos aquellas pautas que determinan y orientan nuestra forma de ver y entender la vida. De ellas se derivan actitudes, valores, creencias y prejuicios.

Todos los seres humanos tenemos la necesidad de categorizar, es un proceso omnipresente ante la cantidad y diversidad de la información y de los estímulos que nos rodean. Pero la cuestión es que cuando empleamos nuestro repertorio de categorías para evaluar eventos del mundo social, inevitablemente introducimos sesgos y distorsiones.

Estos procesos de categorización pueden describirse de la siguiente manera:

1) Se acentúan las semejanzas intragrupales, es decir, entre los objetos a los que ubicamos dentro de una misma categoría, y se tiende a no percibir las posibles diferencias individuales entre cada uno de los miembros que conforman la categoría ("*todos* los ingenieros son...", "*todos* los colectiveros son...").

Paralelamente se observa:

2) Una tendencia a acentuar las diferencias intergrupales, o sea entre miembros que pertenecen a categorías distintas. No advertimos los elementos o aspectos comunes que puede haber entre los miembros de las diferentes categorías ("*nosotros* somos...", "*ellos* son...").

De la puesta en marcha de estos mecanismos, se deriva una serie de consecuencias; ya que cuando juzguemos a una persona a quien ubicamos dentro de una categoría determinada, no sólo lo vamos a hacer por su valoración personal o por sus características propias y concretas, sino que lo haremos por su pertenencia a dicha categoría social. Y aun sin conocerla, seguramente le atribuiremos los rasgos y características más sobresalientes de la categoría a la que la adscribimos. Cuando estos procesos de categorización se desenvuelven de manera rígida o, dicho en otras palabras, cuando ante una característica dada de cualquier individuo se lo "encasilla" o "etiqueta" dentro de una categoría, sin tener en cuenta otros aspectos de su persona, nos encontramos frente a un estereotipo. Se hace referencia a ellos en el mismo sentido señalado en los capítulos anteriores, entendiendo que su función está al servicio de facilitar la comprensión de una situación por medio de su simplificación.

Un amigo y colega de origen español nos contaba que en muchas oportunidades, encontrándose en el exterior, se le preguntaba respecto de "su" afición por las corridas de toros. Lo paradójico es que el protagonista de esta situación, oriundo de Galicia (región en la que no se realizan), lejos estaba de tener algún interés por las lides taurinas. Sin embargo, se veía en la obligación de explicitar cuál era su pensamiento al respecto ya que quienes lo rodeaban daban por descontada "su" afición por el hecho de su nacionalidad.

Un ejemplo ficticio quizá permita explicar mejor estos conceptos. Imaginemos que nos van a presentar al señor Mitsushubi, que es japonés. Aun antes de conocerlo, vamos a suponer de manera prejuiciosa (literalmente, la palabra "prejuicio" se refiere a un juicio prematuro o previo) que es trabajador, educado, que nunca dice que no, etcétera. ¿Por qué sostenemos que dichas suposiciones son prejuiciosas? Porque se apoyan en el simple pero poderosamente explicativo argumento que significa la utilización de la categoría "japonés". Al interactuar con él vamos a esperar conductas acordes y consonantes con lo que consideramos el "ser japonés en el mundo".

¿Qué sucedería si nuestro amigo japonés no se comportara como "japonés"? Frente a esto se abrirían dos alternativas: la primera —la más sencilla— es reconocerlo como un japonés "raro". Nótese cómo la categoría "japonés" tiene una existencia *per se* que pareciera estar por encima de los comportamientos reales de los individuos que pertenecen a ella. Pero hay una segunda posibilidad, que no siendo mucho menos frecuente puede pasar inadvertida para el observador desprevenido, y consiste en la no consideración (o desatención) de aquellas actitudes o conductas que no coincidan con nuestro "modelo" o "prototipo" de "lo" japonés. ¿Qué hacemos en ese caso? Actuamos como si nos distrajéramos frente a aquellas características que nos resultan disonantes, concentrándonos en cambio en aquellas otras que confirman el estereotipo previo. Es en ese momento cuando ante lo dicho o hecho por el supuesto visitante, agregamos alguna afirmación del tipo: "como buen japonés".

No es sencillo desarticular estos mecanismos estereotipadores cuando se encuentran firmemente instalados, ya que sustentan creencias sociales que permiten una rápida "comprensión" y "explicación" de la realidad. El camino contrario implica un esfuerzo de análisis que no siempre estamos dispuestos a afrontar.

Mecanismos como los descritos, son en buena medida el punto de apoyo para la emergencia de los prejuicios y las discriminaciones sociales.

Es decir que si bien las categorías sociales son imprescindibles porque ayudan a dar sentido y significado al ambiente que nos rodea y al mundo en general conllevan a la vez un ahorro importante de tiempo y energía dado su inherente carácter simplificador y sintetizador; no se debe dejar de apuntar que la categorización es un proceso que tiene consecuencias sociales y políticas y que repercute indudablemente en las relaciones intergrupales.

A esto último se aludía cuando en un párrafo anterior señaláramos el pasaje de la categorización a la estereotipación. La emergencia de heteroestereotipos altamente discriminatorios (es decir, cuando se tipifica de manera consensuada a otro grupo sobre la base de caracterizaciones enteramente negativas) se encuentra en los cimientos de las actitudes xenófobas o de prejuicios raciales, religiosos, etcétera.

Hasta ahora se ha señalado que del hecho de pertenecer a un cierto grupo social, se deriva una identidad social determinada. ¿Cómo se construye esta identidad social?

Las valoraciones de los grupos no se realizan en el vacío social sino en el contexto de comparaciones con otros grupos. Como consecuencia del conocimiento de nuestra pertenencia a un grupo (o grupos) y del valor asociado a dicho grupo, se deriva una identidad social consistente con ello. Cuando valoramos a nuestro propio grupo de manera más o menos positiva, o más o menos negativa, nunca lo hacemos en términos absolutos sino en términos relativos. Nos encontramos frente a lo que se denomina "*mecanis-mo de comparación social*" y que permite las comparaciones con otros grupos. Por medio de dicha comparación es que las categorizaciones se acompañan de valor.

No todos los países, por ejemplo, tienen un mismo *status*, poder o prestigio. Nuestra identidad nacional (que es parte de nuestra identidad social) puede verse por lo tanto negativamente afectada a raíz de esas inevitables comparaciones. Ellas pueden influir en la valoración y en la identidad que desarrollemos. Según con quién nos comparemos, saldremos bien o mal "parados", y formaremos un sentimiento de identidad social positivo o negativo.

Algunos autores, como Tajfel, sostienen que si de la pertenencia a un determinado grupo no se derivan aspectos positivos para la construcción de la identidad social, el individuo tiende a abandonarlo físicamente. Si esto no fuera posible (por ejemplo, grupo étnico) se planteará alguna de las siguientes estrategias:

1) El abandono psicológico del grupo. Hay una experiencia interesante que realizaron dos psicólogos estadounidenses (Clark y Clark, 1947) que ejemplifica este caso. Los sujetos de la investigación fueron niñas blancas y niñas negras de distintas regiones de Estados Unidos, de entre tres y siete años de edad. El procedimiento era muy sencillo: consistía en mostrarles dos muñecas: una blanca y una negra. Luego les preguntaban cuál era la que preferían. Como resultado, encontraron que las niñas blancas preferían abrumadoramente las muñecas blancas, y que las niñas negras preferían abrumadoramente las muñecas... blancas.

Lo que dice esta triste experiencia, es que cuando un individuo se desarrolla siendo objeto de un prejuicio, comienza a lamentar su propia identidad y a sentir rechazo o ambivalencia hacia el propio grupo. Y si bien las niñas no pueden abandonar el grupo desde un punto de vista objetivo, porque no pueden cambiarse el color de la piel, pueden hacerlo desde el punto de vista psicológico, tratando de imitar y de comportarse según las pautas de los blancos.

Un ejemplo típico de esto último es el caso de quienes se autodefinen como "mexican-american" en Estados Unidos y que adoptan una tendencia asimilacionista a la cultura anglosajona. Popularmente se los ha bautizado "*coconuts*": cafés por fuera y blancos por dentro.

2) Otra estrategia consiste en no establecer las comparaciones con grupos de *status* superior, sino inferior.

Por ejemplo, en vez de compararnos como país con Estados Unidos lo hacemos con Mozambique que cuenta con un dentista cada 109.514 habitantes, en cuya población el analfabetismo se eleva a un alarmante 84%, y una expectativa de vida de 47 años, junto con una tasa de mortalidad infantil de 287 por mil.

Es, desde el punto de vista psicológico, mucho más "confortable", en tanto que descarga de negatividad la propia imagen y otorga un cierto "premio consuelo" el compararse con aquellos que viven una situación peor que la nuestra, que afrontar la realidad de nuestras carencias frente a quienes nos superan.

Este procedimiento, sin embargo, tiene sus límites. No cualquier grupo puede ser parámetro de comparación. El elegido para ella debe ser uno que reúna ciertas características que lo hagan significativamente comparable. Por ejemplo, que también sea un país latinoamericano o latino, o que se suponga que se encuentra en un grado de desarrollo semejante en la realidad o bien al que se tendería idealmente.

3) La tercera opción consistiría en cambiar los criterios evaluativos que se nos imponen para evaluar países y grupos.

Por ejemplo, se puede decir que un país está mucho más desarrollado que el nuestro desde el punto de vista económico, pero que nosotros somos más solidarios, menos egoístas, más hospitalarios, disfrutamos más de la vida, etcétera.

Esta última estrategia parece particularmente empleada en los casos en que, como en la Argentina, se sufre un proceso de decadencia de prestigio. Hace sesenta años se podía comparar al país en muchos aspectos económicos, políticos, y sociales, con las grandes potencias de ese entonces. Ahora, la comparación no tendría ningún sentido, ya que no hay parámetros comunes de comparabilidad.

Una estrategia derivada de la anterior se llevó a cabo a principios de la década del sesenta en Estados Unidos a partir del eslogan *Black is beautiful* ("Lo negro es hermoso"). En este caso, la minoría negra estadounidense, modifica los criterios de comparación. No se compara ya lo negro con lo blanco, sino que se reconoce la existencia de parámetros propios de belleza sin que intervenga otro grupo social como asimétrico referente convalidante. De esta forma, se busca consolidar la identidad social del grupo a partir de una revalorización positiva del mismo.

4) Una cuarta estrategia consistiría en aceptar la situación y comprometerse en algún tipo de acción social para intentar modificarla en el sentido deseado.

Otra variable relevante para el estudio de la identidad nacional en una población determinada es la que se considera a través del análisis de la autoimagen que tienen los individuos que forman parte de ella (por ejemplo, a partir de los resultados que se obtuvieron cuando los encuestados argentinos se autodescribieron; es decir, cuando se relevaron indicadores del autoestereotipo en el capítulo anterior).

Ya se ha señalado que las imágenes sociales —sean del propio grupo o de otros grupos— son importantes dado que permiten obtener alguno de los indicadores de la identidad nacional, en la medida en que la imagen nacional es una de sus expresiones.

En estas imágenes, en general, es donde se hacen presentes los distintos estereotipos sociales.

Antes han sido explicadas las relaciones entre categorización y estereotipación. Ahora nos orientaremos específicamente a la comprensión de los estereotipos nacionales. La estereotipación sería un proceso mediante el cual al mismo tiempo se simplifican, exageran y generalizan ciertos rasgos, produciendo una representación de un grupo —en este caso, de una nación— al cual de manera rígida y prejuiciada se le atribuyen esos rasgos como características tipificantes por el sólo hecho de poseer cierta nacionalidad (Montero, *op. cit.*).

¿Qué sucede cuando los datos obtenidos a partir de las imágenes relevadas son negativos y no pueden analizarse a la luz de la teoría de la identidad social, que se apoya sobre el supuesto pretendidamente universal de la tendencia de los grupos a la construcción de identidades sociales positivas?, ¿qué sucede con las teorías hasta aquí presentadas cuando se contraponen a datos como los de Argentina —o Perú— que reproducen una imagen social negativa? No podemos desestimar el valor ni la utilidad de las contribuciones de dichas teorías, pero nos parece que excluyen elementos de fundamental incidencia. Tal como se recordará, los estudiantes argentinos que participaron de la investigación, si bien caracterizaron negativamente al país, lo prefirieron frente a los demás países. Cómo se puede explicar esta dualidad, ¿somos capaces de preferir aquello que caracterizamos negativamente?

Debe subrayarse que nos encontramos ante procesos de características tanto afectivas como racionales. El compromiso involucrado en la nacionalidad suele ser más amplio, profundo e implicante con respecto a la propia identidad que otros que podamos establecer referidos a otros grupos también significativos (D'Adamo y García Beaudoux, 1993).

Se trata del lugar donde hemos nacido, donde vive nuestra familia, donde nuestros afectos crecieron y se arraigaron, donde nos educamos, y cuyas costumbres, hábitos y tradiciones hemos incorporado a lo largo de nuestra vida.

Una línea de pensamiento semejante se encuentra en H. Kelman (1983). Para este autor, "la unión sentimental se refiere a la unión de la gente a un grupo basada en la interpretación de ese grupo como representativo de su identidad personal... En tanto que éste los representa, como personas y como parte de una colectividad, proyectan su lealtad hacia él".

Estas contribuciones aportan un interesante ángulo crítico a los modelos teóricos como los de Tajfel y Turner. No correponde aquí explayarnos pormenorizadamente sobre los aspectos contrapuestos de ambas concepciones. Pero sí nos parece necesaria una acotación respecto de la influencia del contexto en la generación de teorías. El enfoque sociocognitivo está originado en Europa, lo que no es una mera cuestión geográfica anecdótica. Es un factor interviniente en tanto y en cuanto —desde la postura históricamente etnocéntrica europea— el saldo de las comparaciones con los grupos extracontinentales era siempre positivo. Esto por otra parte, otorgó una fuerte carga justificativa a los comportamientos de los europeos hacia otros pueblos (por ejemplo, la conquista y la colonización, la exportación y la imposición de pautas culturales, políticas y religiosas, etcétera). Desde esta perspectiva, la construcción de identidades sociales positivas encuentra su "racionalidad histórica". Con esto queremos decir que no nos parece enteramente casual que estas formulaciones teóricas se hayan originado en dicho ámbito.

Tampoco es casual que muchas de las críticas provengan de autores latinoamericanos quienes al estar inmersos en un ambiente radicalmente distinto, perciben aspectos del fenómeno que para el observador europeo pueden pasar inadvertidos o ser "cognitivamente disonantes". El contexto nos influencia, permitiéndonos percibir características propias del fenómeno que redefinen y asignan una "racionalidad histórica" distinta.

Esta última nos guiará hacia ,ormalizaciones diferentes del proceso de construcción de identidades nacionales, al que se incorporarán otro tipo de componentes.

A menudo esta tendencia a preferir el propio país por encima de otros, ha sido definida como etnocentrismo. Especialmente cuando implica una más o menos explícita desvalorización de todo aquello que no sea "nacional".

Alrededor de 1950, fueron realizados importantes estudios en Estados Unidos acerca del síndrome autoritario, singularmente vigente en aquella época probablemente debido a la cercanía del nazismo, que demostraron la importante participación del componente etnocéntrico en la génesis del pensamiento nazi (Adorno y colaboradores, 1950).

Se observó que la consideración de los valores, cultura, principios políticos y morales del propio país (entre otros aspectos) como superiores a los de los demás, constituye un parámetro comparativo que otorga sentido y "justificación" al desarrollo de políticas nacionales e internacionales de tendencias autoritarias.

La preferencia de la Argentina por sobre otros países dista mucho de asemejarse al fenómeno del etnocentrismo, que ha sido —o es— particularmente común, por ejemplo, en algunos lugares de Europa. La diferencia radica en que a partir de los datos presentados, encontramos que la preferencia está acompañada de una intensa desvalorización y autocaracterización negativa, lo que no sucede en los casos de etnocentrismo.

El concepto que a nuestro criterio mejor describe esta relación que combina preferencia con un elevado nivel de crítica y rechazo, es el de *altercentrismo* (Montero, 1984). Éste se generó a partir del análisis de las identidades negativas encontradas en varios países latinoamericanos y es definido por su autora de la siguiente manera:

> El altercentrismo se define entonces como la preferencia y predominio de la referencia a un Otro social (colectividad, grupo, país) externo contrapuesto al Nos social, al cual establece como modelo o parangón a seguir y al cual se categoriza de manera positiva hipervalorada que contrasta con la desvalorización del endogrupo (Montero, 1993).

Este concepto merecerá ciertas precisiones al aplicarlo a nuestra identidad nacional.

¿Quiénes sino los argentinos hemos vivido y vivimos según las distintas épocas pensando en otros hipervalorados positivamente? ¿No se dice de nosotros que somos italianos que hablamos español y nos creemos ingleses? Nótese que en este comentario que circula con mucha frecuencia por Latinoamérica todos los componentes de nuestra atribuida identidad son europeos.

¿Qué significa ser "los más europeos de América"? En la misma afirmación convergen conflictos y motivaciones de índole diversa. Por un lado, no somos europeos sino "casi" europeos, ya que somos los "más" pero no completamente. Tampoco seríamos latinoamericanos, o al menos no del todo, según esta concepción.

El fenómeno del altercentrismo no es exclusivo de nuestro país. Diversos trabajos de investigación se han realizado durante las décadas del setenta y del ochenta en distintos países de Latinoamérica. Ellos muestran numerosos ejemplos que van en este sentido (Salazar, y otros). Aun así, el caso argentino reviste aristas singulares.

Inmigración e identidad nacional

Las corrientes migratorias hacia la Argentina, provenientes de Europa se extienden hasta entrados los años cincuenta. Esto queda perfectamente reflejado en los resultados del censo de 1960.

Sus datos muestran que 11% de la población nacional provenía de países no limítrofes, y era de reciente arribo. Recuérdese que la población nacional hacia 1960 era de aproximadamente veinte millones de habitantes.

Es decir que europeos —especialmente italianos y españoles— se habían radicado efectivamente en la Argentina, en un porcentaje mucho más alto que el registrado en los demás Estados de América Latina. Entre ellos, el altercentrismo también se orienta hacia los europeos (además de hacia los estadounidenses) pero las relaciones se encuentran mucho más mediatizadas por la distancia. Esos grupos, no constituyen un número tan significativo dentro de cada sociedad.

En América Latina, se arrastran desde los orígenes coloniales actitudes de desvalorización de lo propio a favor del colonizador. En la Argentina, si bien se atravesó obviamente también por dicha situación, el impacto de las olas inmigratorias posteriores pareciera haber reestructurado el fenómeno. No obstante ello, se puede pensar tal como afirma M. Montero (1993) que "El desarrollo histórico de un proceso de construcción de una identidad, mediado por factores tales como la colonización, la dependencia, la explotación, la pobreza, produce procesos de aprendizaje en los cuales si bien se desarrollan fuertes nexos de pertenencia y de resistencia, se aprende igualmente a calificar y descalificar en función de valores, patrones y normas impuestos; se aprende a no tener éxito, se aprende a desconfiar de los propios logros, y a adjudicar su positividad a factores externos y su negatividad a factores internos; a naturalizar la descalificación y a invertir causas y efectos, confundiendo los segundos con las primeras".

Esta aceptación de la minusvalía nacional se ha visto reforzada y potenciada con la eclosión de los medios masivos de comunicación, que difunden de manera muchas veces intencionada los modelos de éxito y los caminos acertados que han recorrido en su evolución económica, política y social los llamados "países del primer mundo". Estos modelos no se reducen a los aspectos mencionados, sino que abarcan necesariamente normas y pautas culturales, las que ineludiblemente —aunque no por ello de forma explícita— son presentadas como "superiores".

La adhesión acrítica a este bagaje cultural presupone una estrategia por la cual se "participa" del éxito y progreso ajenos. Este proceso tiene mucha vigencia también en la Argentina, por ejemplo, durante la socialización de los jóvenes. Arturo Jauretche (1968) en el *Manual de zonceras argentinas*, al referirse a este fenómeno plantea que nuestra ciega admiración respecto de ciertos grupos nacionales, sus productos, o su forma de vida, muy acertadamente dice que son "...el fruto de una educación en cuya base está la autodenigración como zoncera sistematizada". Y continúa: "La autodenigración se vale frecuentemente de una tabla comparativa referida al resto del mundo y en la cual cada cotejo se hace en relación con lo mejor que se ha visto o leído de otro lado, y descartando lo peor".

Retomemos la cuestión inmigratoria. Resulta decisiva su trascendencia en el estudio de la identidad nacional en un país que como el nuestro, posee una notoria presencia de grupos inmigratorios en su seno.

Como se desprende de la siguiente afirmación y de los resultados que aporta el trabajo de N. Roselli (1993): "Los lazos sanguíneos con grupos nacionales y extranjeros son un fenómeno significativo en la sociedad argentina. La mayor parte de la población en algunas regiones más que en otras tiene antecedentes familiares extranjeros". Según los datos de su investigación realizada en la ciudad de Rosario, se concluye que 92,5% de los sujetos que participaron en ella tuvo al menos un bisabuelo extranjero, y 60,2% tuvo al menos un abuelo extranjero.

En muchos casos, la presencia extranjera no se limita —según Roselli— a un solo miembro (es decir, la posible presencia de dos o más abuelos de origen europeo).

Es notable, por ejemplo, aun hoy en día en algunos países de América Latina, la vigencia de importantes rencores que se guardan hacia las figuras de los españoles por la conquista del continente. Estas actitudes no encuentran en nuestro país un correlato proporcional, entre otras muchas razones —tal como lo indica la investigación de Roselli— porque los españoles están entre nosotros en forma de abuelos, tíos o padres y, por lógica, las imágenes que se tienen de ellos se encuentran muy alejadas de la figura del conquistador de hace quinientos años.

Los profundos cambios socioeconómicos que atraviesa la Argentina desde el inicio de la década del noventa, en especial el agresivo redimensionamiento de la estructura del Estado (llamado por algunos críticos de estas políticas "desguace" del Estado) han recreado la imagen reflejada por muchos analistas políticos y hasta por humoristas, de encontrarnos frente a una verdadera "segunda conquista".

Sería interesante, por ejemplo, observar si nuestra actitud hacia los españoles no sufre una modificación específicamente a partir de la importante participación de empresas de capital español en la privatización de las empresas públicas argentinas.

Además, debe mencionarse que la presencia de colectividades extranjeras no se reduce —como es evidente— a la española. Se encuentran presentes italianos, ingleses, alemanes, franceses, judíos, sirio-libaneses, etcétera. Los argentinos hemos sido entonces socializados en un contexto sociocultural teñido de costumbres y valores extranjeros. La síntesis con lo autóctono, aún se encuentra en proceso.

A principios de siglo quienes eran responsables de los planes de educación a nivel nacional, manifestaron su preocupación frente al elevado porcentaje de inmigrantes en el país, y las consecuencias según ellos nefastas de tal influencia. Surgió así un proyecto de "ingeniería cultural" —como acertadamente define C. Escudé en su libro *El fracaso del proyecto argentino*— cuya denominación oficial era "educación patriótica". A modo de ejemplo citamos de dicha obra el siguiente fragmento de una conferencia pronunciada en 1911 en la Sorbona por J. Beltrán. En ella se expresa la preocupación del gobierno por este tema: "Mi país es un pueblo nuevo, en vías de formación étnica; uno de los factores importantes de nuestro crecimiento reposa en la inmigración. Los pueblos que emigran a la Argentina van allá de todas las direcciones y llevan las más diversas tendencias. Es, pues, un deber primario fundir todos estos factores encontrados en un solo molde que asegure los verdaderos caracteres firmes de una nacionalidad...".

La preocupación oficial se basaba en la tendencia de muchos grupos inmigrantes a reproducir parámetros culturales exógenos, propios de sus antepasados europeos; lo cual se facilitaba por las cercanías en el tiempo (eran recién llegados) y en el espacio (presencia de la colectividad en el país).

El desprecio por los valores locales, por otra parte típico en Latinoamérica, se acentuaba con la llegada de nuevas olas inmigratorias. Como bien dice Arturo Jauretche en su ya citado libro, "La idea no fue desarrollar América según América, incorporando los elementos de la civilización moderna; enriquecer la cultura propia con el aporte externo asimilado, como quien abona el terreno donde crece el árbol. Se intentó crear Europa en América trasplantando el árbol y destruyendo lo indígena que podía ser obstáculo al mismo para su crecimiento según Europa y no según América".

"La incomprensión de lo nuestro preexistente como hecho cultural, o mejor dicho el entenderlo como hecho anticultural, llevó al inevitable dilema: todo hecho propio, por serlo, era bárbaro, y todo hecho ajeno, importado, por serlo, era civilizado. Civilizar, pues, consistió en desnacionalizar —si nación y realidad son inseparables—."

Las consecuencias de estas actitudes quedan expresadas con mucha claridad en *El desarraigo argentino* de Julio Mafud. El mismo título del libro plantea ya la consecuencia principal "...el verdadero drama argentino —el desarraigo de sus hombres y sus instituciones—..." "...el habitante argentino no está arraigado en nada...".

Mafud señala que "A lo que se ha tendido subterráneamente

es a ocultar no sólo de la mirada ajena, sino sobre todo de la propia, la realidad que siempre se consideró inferior. Se ha vivido sin toma de conciencia. Incluso de algo peor, no se ha concienciado Europa desde la Argentina, sino la Argentina desde Europa. Todavía más, para que un estilo de vida quiera ser ambicionado, es preciso crear o suponer que posee los valores diferenciales superiores para ser imitado".

¿Cuáles son los aspectos del altercentrismo, tal como ha sido definido hasta aquí, comunes tanto para la Argentina como para otros países latinoamericanos, y cuáles son los propios de nuestra situación?

Desde nuestro punto de vista, lo semejante entre lo que sucede en otros países y en el nuestro, estriba fundamentalmente en que el altercentrismo se manifiesta como la preferencia de un "Otro" social al que se admira e intenta imitar, desvalorizando a la propia nación. Un dato ilustrativo es el que proviene de los estudios realizados acerca del consumo preferencial de productos manufacturados en países hipervalorados que contrasta con el rechazo a bienes producidos en el país (Salazar, 1988).

Pero la diferencia radica en que en otros países ese "Otro" al que se hace referencia, es eminentemente externo. Mientras que en la Argentina, el altercentrismo pareciera tener características peculiares, y hasta si se quiere paradójicas, que exceden esta situación. Veamos algunos de sus indicadores.

Una colega, de paso por el país, nos señaló su extrañeza a partir de comentarios que sugerían que nos percibíamos como extranjeros en nuestra propia tierra. En una conferencia que dictó durante su visita, dialogando con los asistentes sobre el tema de la identidad, se sorprendió al escuchar afirmaciones dichas con seriedad y convencimiento en cuanto a nuestra procedencia: las tan familiares: "todavía nos estamos bajando de los barcos", "somos los europeos de América". Esta última afirmación, de la cual existe también la versión de "los más europeos de América" —ya antes mencionada— es comúnmente utilizada para distinguirnos de los otros países de la región. Más aún si el destinatario es un europeo que pregunta acerca de la Argentina.

Detengámonos por un momento a analizar esta cuestión. Es indudable que se derivan beneficios relativamente evidentes de tales aseveraciones. En un contexto en el que lo latinoamericano está desvalorizado frente a lo europeo, este tipo de consideraciones nos ubicarían en el "sector privilegiado". Se pasa, por lo menos en el terreno de la realidad psicológica, a pertenecer al grupo idealizado (los europeos) al producirse la identificación con ellos (mediada por el abandono psicológico del propio grupo), y a participar así de su "prestigio".

No terminan aquí los beneficios psicológicos. En cuanto "europeos" no nos vemos envueltos en los conflictos de "los latinoamericanos".

Casi como el turista que de paso por un país sólo disfruta de los paisajes y del descanso, nosotros también pareciéramos ser turistas en América. Si recién llegamos, si no somos latinoamericanos sino europeos, fácilmente vamos evadiendo el problema de resolver no sólo nuestra propia identidad sino, sobre todo, lo que esto último implica: asumirla.

No somos europeos, y si alguna duda quedara de ello observemos y constatemos las reacciones de los europeos, y muchísimo más aún de los estadounidenses ante las afirmaciones de pretendida europeicidad. Para todos, con sus matices o sin ellos, somos —nos pese o no— básicamente latinoamericanos.

Uno de los elementos constitutivos de la identidad es el reconocimiento que los demás hacen de ella. En otras palabras, somos "Pedro" no sólo porque así nos bautizaron sino porque quienes nos rodean nos reconocen como tal. Es una nueva versión de la historia del rey a quien nadie le señalaba su desnudez. En este caso, son los señalamientos de los demás, directos o indirectos, explícitos o implícitos, los que confirman la identidad. Y no es por cierto sólo una cuestión nominal sino que también abarca todo el conjunto de significaciones y valores incluidos.

Es decir, no se reduce a la nominalidad de ser "Pedro" o "argentino". Implica también el reconocimiento ajeno como un factor decisivo para la confirmación y construcción de las identidades.

¿Qué sucede cuando tal reconocimiento no coincide con las propias expectativas? Cuando la clara y diferencial "europeicidad" argentina choca con la sonrisa benévola del interlocutor. Cuando por ejemplo, como en muchos formularios que se llenan en los Estados Unidos, nos vemos obligados a marcar la cruz en el grupo étnico "hispano" y resulta que somos de familias de origen italiano, francés o judío, y nacidos en la Argentina.

En el acto de marcar esa cruz quedamos súbita y rápidamente asimilados al mismo casillero que los "chicanos", cubanos exiliados, portorriqueños, colombianos, bolivianos, paraguayos, etcétera. Y la europeicidad parece diluirse como tantos otros mitos argentinos.

En este caso se debe asumir y tolerar la discrepancia que implica, en relación con nuestras creencias (sean éstas correctas o no) la no confirmación de un rasgo que los argentinos creen distintivo de su identidad. Desde el punto de vista psicológico, estas asunciones y tolerancias no se realizan a bajo costo. En algún otro lugar o momento, los argentinos intentaremos "demostrar" que esa postura es errónea y que en algún sentido somos "europeos", los "más europeos", o "algo europeos", o "algo distinto" o "algo mejor". Si no lo hiciéramos, quizá comenzaríamos a sentir que ya no somos nosotros mismos.

No debe pensarse que lo que se está narrando es una experiencia que sólo se da con interlocutores estadounidenses o en las oficinas estatales de ese país, como producto de la ignorancia que muchos norteamericanos suelen tener sobre todo aquello que se encuentre al sur de México.

En Europa la historia no es muy diferente. Aun cuando en el viejo continente existe la posibilidad de observar muchos más matices en la conceptualización de "lo latinoamericano" y el "capítulo argentino". Allí también emergerá nuevamente una más o menos complaciente sonrisa ante la afirmación de europeísmo. No debe olvidarse que en el apelativo "sudacas" —que, por las dudas aclaramos, nada tiene de afectuoso o siquiera de neutral— también estamos todos juntos paraguayos, uruguayos, argentinos, venezolanos, etcétera.

Es notorio que detrás de esa recurrencia tan nativa a citar nuestra "europeicidad" subyace, aunque de manera solapada, un importante complejo de inferioridad. Los rasgos favorables derivados del "europeísmo" brindan dividendos positivos en la conformación de nuestros autoconceptos.

De esta forma se oculta un cierto complejo de inferioridad cubriéndolo de europeicidad, o sea superioridad, a diferencia de otros países latinoamericanos que en tanto sufrientes de altercentrismo en su forma prototípica, sólo manifestarían inferioridad.

Dice Julio Mafud a este respecto, en *El desarraigo argentino*: "No se explicaría nuestro mimetismo persistente, si no hubiera cierta comprensión de los valores diferenciales... la realidad argentina, por un juicio de comparación, resulta despreciada y el individuo experimenta un sentimiento de inferioridad evidente. La imitación aparece como un mecanismo psicológico de defensa o un mecanismo de evasión que, al crear una apariencia de estilo de vida, nos libera de aquel sentimiento deprimente y nos permite la fuga de la realidad hostil".

Coincidimos íntegramente con esta opinión, y esperamos otorgarle a través de las ideas expuestas en este libro, más sustento aun.

Nuestro camino hacia la soberbia empieza a vislumbrarse. Y es bien sabido que la soberbia, además de asegurar un rápido acceso al infierno intemporal, en cuanto pecado capital, asegura una buena dosis de antipatía terrenal.

Como se puede apreciar mediante la lectura de este capítulo, se ha intentado evitar caer en un enfoque psicologista del tema abordado.

En esta misma dirección, se decidió la inclusión del capítulo siguiente, que intenta desde un ángulo de análisis no utilizado con demasiada frecuencia por los psicólogos —pero imprescindible para nuestros propósitos— proporcionar elementos de juicio que revelen los nexos que existen entre las variables económicas y sociodemográficas con sus correlatos psicológicos.

ACERCA DE LA INMIGRACIÓN, LAS CRISIS ECONÓMICAS Y SUS CONSECUENCIAS PSICOSOCIALES: "La vergüenza de haber sido y el dolor de ya no ser" (*Cuesta abajo*, tango)

> —¿Cuál es el mejor negocio?
> —¿Comprar a un argentino por lo que realmente vale, y venderlo por lo que él cree que vale.

Serán introducidos en este capítulo una serie de datos que por su índole no son los que habitualmente se incluyen en los textos de corte psicológico. Entendemos, sin embargo, que brindan la posibilidad de reconstruir en buena medida muchas de las características más representativas de un período histórico que resulta de vital importancia para el tema que se está desarrollando.

Pero no solamente nos interesa la información de origen económico o sociodemográfico como facilitadora de la reconstrucción del pasado. Creemos que además permite establecer las vinculaciones entre los factores psicológicos y los económicos.

Ahora vamos a solicitar al lector un ejercicio de imaginación tal que pueda reconstruir en el plano de las vivencias psicológicas el enorme alcance de los cambios sociales y económicos por los que atravesó la Argentina hacia principios de siglo, que a la vez permitirán resignificar capítulos importantes de nuestra historia más reciente.

Iniciemos el ejercicio situándonos en algún hipotético día del año 2040. Los resultados del censo realizado ese año indican que la población del país asciende —superando cualquier proyección que se hubiera estimado cuarenta y cinco años atrás— a 136 millones de habitantes, de los cuales 30% (41 millones de habitantes) son extranjeros; que de estos últimos, 67% (o sea, 27.500.000 de los nuevos habitantes) no hablan el idioma castellano ni idiomas comunes entre sí. Dada la situación internacional, quizás hablen lenguas del sudeste asiático, croata, servio, ruso o dialectos del noreste africano.

Además, el grupo de varones menores de veinte años está constituido casi por 60% de extranjeros; o sea, que habría 19 millones de jóvenes menores de veinte años extranjeros, y que probablemente no hablasen castellano en un porcentaje semejante al anterior. Esto quiere decir, en otras palabras, que dentro de cuarenta y cinco años habría más extranjeros que la suma total actual de argentinos.

No faltará quien crea que se trata de un exceso de imaginación. Sin embargo, a estos números se llega a partir de la proyección de los porcentajes correspondientes a los diversos cambios demográficos sucedidos en la Argentina desde 1869 hasta 1914.

Fue en aquel entonces, con la realización del primer censo nacional en 1869, cuando de él resultaron los siguientes números: 2.526.734 argentinos (87,9%) y 210.292 extranjeros (12,1%); de ellos, el 33% habitaba en zonas urbanas.

En 1914, los cambios son notables. El tercer censo nacional indica la presencia de 5.527.285 argentinos (70,2%) y 2.357.925 extranjeros (29,8%). De los más de dos millones de hombres menores de veinte años que componen la población total, casi 60% son extranjeros.

La concentración urbana comenzaba a vislumbrarse: ascendía ya en aquel momento a 58% de la población total.

No es, dado el contexto mundial actual, impensable la irrupción de futuros contingentes de inmigrantes en cualquier país del mundo. Por supuesto, sobre todo, en aquellos que ofrezcan las mejores perspectivas económicas. El panorama mundial *a posteriori* de la disolución de la Unión Soviética y del Bloque de Europa del Este, esto último sumado a la superpoblación del sudeste asiático, harían perfectamente viable un cambio de tamaña magnitud numérica.

Sin embargo, en lo que coincidiremos con el lector, es en que difícilmente la Argentina podría constituirse en un polo de atracción inmigratoria (con excepción hecha, de los países limítrofes, tanto en su versión "golondrina" temporaria, como definitiva).

Por el contrario y para dar una idea del grado de interés que ejercía la Argentina para la inmigración mundial a finales del siglo pasado y principios del presente, baste observar las siguientes cifras.

Según los datos extraídos del libro de Enrique Dickmann *Población e inmigración* (1946), entre 1846 y 1932, salieron de Europa cincuenta y nueve millones de emigrantes. Sólo 10% no se dirigió al continente americano, el 90% restante tuvo como destino América del Norte, Central o América del Sur, siendo su distribución la siguiente:

- A Estados Unidos   41,4%
- A Argentina   17,6%
- A Brasil y otros países americanos   16,2%
- A Canadá   13,1%

Obsérvese, que el segundo destino elegido era la Argentina, cuyo porcentaje supera al del conjunto de todos los restantes países de América Central y del Sur.

No queremos abandonar la idea inicial de imaginar ese futuro escenario posible del año 2040 porque nos parece particularmente ilustrativa para comprender una etapa crucial como fue la de la inmigración a principios del siglo XX. Cuando algún autor que ya hemos citado, visitaba la Argentina en esa época y comparaba Buenos Aires con una "Babel", seguramente no estaba lejos de la realidad su apreciación. Imaginemos —y recreemos así lo ocurrido en 1914— cómo podrían ser los problemas idiomáticos en esta Argentina hipotética del 2040: la interpetación de las normas legales, las dificultades habitacionales y el efecto en la morfología de las ciudades, los problemas educacionales, etcétera.

No es inapropiado tampoco pensar en colisiones o disputas entre distintos grupos étnicos, más aún si éstos profesaran religiones diversas (factor este último que no se presentó en la Argentina de principios de siglo, pero sí se observan con frecuencia conflictos étnicos en el principal país inmigratorio contemporáneo: los Estados Unidos). Como elemento favorable, debiera mencionarse el enorme poder de los medios de comunicación y de la alta tecnología en el proceso de asimilación de estos nuevos grupos a la vida social, que lógicamente no se encontraban disponibles en el 1900.

Lo que se ha intentado es llamar la atención acerca de la incidencia que debe haber tenido en la población ya existente, semejante masa inmigratoria, en todos los órdenes: político, económico y en la configuración de la identidad nacional.

La utilización de las cifras, tanto como dato histórico como en su valor prospectivo, resaltan la saliencia del fenómeno. Ponderar con precisión desde el presente las consecuencias psicosociales es, manifiestamente, un imposible. Podemos convenir respecto de la magnitud del cambio, pero no podemos saber a ciencia cierta hasta dónde se hubiese modificado la identidad vigente, cuánto de nuevo habría en la emergente; o cómo se compondría esta nueva síntesis. Pero sin duda nada podría haber seguido siendo tal como era hasta ese momento.

El ejercicio de imaginación ha tenido como objetivo situarnos en la Argentina de principios de siglo, en un esfuerzo por dimensionar, al menos en un plano figurativo, lo que puede haber significado psicosocialmente la llegada de los inmigrantes.

Ahora nos centraremos en el análisis de una serie de indicadores socioeconómicos que ayudarán a reconstruir la Argentina de mediados de siglo. La Argentina en la que vivieron muchos de esos inmigrantes y sus hijos.

Nos abocamos entonces a la tarea de obtener información con respecto al nivel de vida alcanzado en la Argentina en la primera mitad de este siglo. Tenemos buenos motivos para hacerlo, uno es determinar si aquel tan remanido mito argentino de la riqueza perdida y el desarrollo frustrado, tenía o no referentes empíricos en la realidad económica y social. Habrá importantes consecuencias psicosociales que se derivarán de esta cuestión.

De gran utilidad resultó el libro de C. Escudé *1942-1949 Gran Bretaña, Estados Unidos, y la declinación argentina* (1983). En él se citan una serie de datos que para quienes no vivimos aquella época, no sólo resultan llamativos sino que sirvieron para revivir, revalorizar y resignificar historias que habíamos escuchado de nuestros abuelos.

La fuente que el mencionado autor utilizó y que presenta en su obra fue "Cómo vive el obrero en la industria argentina", *Revista de Economía Argentina*, Nº 271, Buenos Aires, artículo de Torcuato Di Tella (1941).

La información a la que se hace referencia permitió acceder a cifras que hoy parecen dignas de una Argentina de ficción. Sin embargo, pertenecieron a la muy real de 1941.

Estas son algunas de ellas: con una hora de trabajo un obrero argentino compraba más pan que su par francés, inglés o belga, y casi triplicaba lo que se podía comprar por el mismo valor horario en Italia y Alemania.

La adquisición de un par de zapatos requería menos horas de trabajo en la Argentina que en Francia, y ligeramente más que en Inglaterra o Alemania.

Para comprar una camisa, el obrero argentino debía trabajar cinco horas, apenas por encima que su colega inglés y por debajo de los belgas, franceses, alemanes e italianos.

Ni qué decir cuando el rubro alimentario era la carne. Con una hora de trabajo, en la Argentina se compraba más de medio kilo más de carne que en Estados Unidos (que dicho sea de paso, era quien nos superaba en casi todos los rubros hasta ahora presentados), y casi un kilo más que en la mayoría de los países europeos.

Pero las comparaciones ventajosas, no sólo incluían los consumos. La esperanza de vida en la Argentina era para 1947 superior a la de Bélgica, Francia, Luxemburgo, Portugal, España, Reino Unido de Gran Bretaña, etcétera. La tasa de analfabetismo era para la misma época una de las más bajas del mundo, con la peculiaridad, según datos de la UNESCO, de que era sumamente similar entre hombres y mujeres. Esta situación en cambio no se daba en muchos países europeos donde las mujeres, más relegadas socialmente, presentaban tasas de analfabetismo significativamente mayores que las de los hombres.

No faltará quien advierta que esto se suscitaba durante la Segunda Guerra Mundial. Siendo esta afirmación correcta en sí misma, y un factor muy influyente, sin duda, nos permitiremos una digresión al respecto pues entendemos que se vincula con la percepción selectiva de los hechos históricos o políticos.

En un encuentro internacional, hace unos años atrás, colegas europeos nos señalaban su "sorpresa" por la inexistencia "todavía" de un bloque o mercado común latinoamericano en comparación con los hasta ese entonces avanzados proyectos de integración europea. Sostenían que ese tipo de soluciones "a la europea" seguramente serían de suma utilidad en América Latina. Aun cuando en algún sentido podíamos compartir la idea, no dejábamos de percibir un implícito eurocentrismo. Parecían no recordar los autores de estos consejos que los europeos, sin duda cuna de la civilización occidental, en casi toda su historia han dirimido sus conflictos mediante guerras, las que ocurrieron hasta la mitad del siglo XX; que las guerras coloniales europeas se extienden hasta los años sesenta; que una de las guerras civiles más cruentas tuvo lugar también allí; que algunos de los milagros económicos contemporáneos más elogiados fue precedido por una dictadura oscurantista que permaneció hasta 1975; que Bosnia está en Europa, y que Hitler no fue un caudillo centroamericano o un cacique inca... Sin embargo, no siempre se señala la guerra, hecho sin duda primitivo y bárbaro, como protagónica de la historia europea (y también de otras partes del mundo), lo que no invalida otros logros de su civilización pero que los contextualiza. Es, como diría Jauretche, hacer la historia "con beneficio de inventario".

De esta reflexión se derivan tres consecuencias: la primera es, que si Europa estaba en guerra a mediados de siglo esto no era algo azaroso o infrecuente dada la dinámica de su historia. La segunda, es que las soluciones negociadas a los conflictos geopolíticos son un hallazgo reciente para Europa, en la perspectiva de su historia milenaria. Y la tercera es que desde la posición muchas veces etnocéntrica europea, es frecuente atribuir los "barbarismos" de manera casi monopólica a los pueblos "primitivos" de otras latitudes.

Esto último se inscribe en el atractivo campo del estudio de las selectivas y diferenciales percepciones del comportamiento político entre países, campo que excede el alcance de este libro, aunque pareció oportuno abordarlo tangencialmente.

Volvamos a nuestro tema. Se aludía al inicio de este apartado a la existencia de motivos que a nuestro criterio justificaban su inclusión. El primero ya fue mencionado. El segundo, se presenta a continuación.

Creemos que las características económicas y sociales claramente diferenciales de la Argentina respecto del resto de los países de la región —muy acentuadas en la primera mitad de este siglo— y a su vez favorables al compararlas con numerosos países europeos, deben de haber facilitado la existencia de una atmósfera de "poderío" y "superioridad" de la cual muy pocos habrán podido abstraerse. Si esto último se combina con la importante presencia de inmigrantes con sus hijos ya crecidos e insertados en el mercado laboral, que además habían llegado al país luego de innumerables penurias, huyendo de la pobreza, el hambre y la guerra del Viejo Continente, no cuesta imaginar una cierta sensación de omnipotencia generalizada. El sacrificio había rendido sus frutos, y no nos referimos solamente al sacrificio físico sino también al costo individual involucrado en el abandono del país de origen. No pensamos que esto solamente se manifestara entre los inmigrantes. Como ha sido expresado más arriba, muy pocos, fueran inmigrantes o no —ya que un fenómeno de esta naturaleza dista mucho de alcanzar a un solo grupo social—, habrán podido evadir la sensación de triunfalismo que acompañó a la satisfacción por el logro alcanzado.

Sobre lo que queremos ahondar es acerca del efecto colectivo y de sus repercusiones en la formación de la identidad nacional, de la coexistencia de numerosas personas y grupos que por distintas razones, y a través de diferentes caminos, comparten en una situación histórica determinada, un elevado sentimiento de satisfacción personal por los objetivos alcanzados. Satisfacción que no engloba únicamente metas individuales, sino que involucra en un nivel más amplio a la nacionalidad.

Entre otros factores intervinientes en este proceso, es posible considerar, por ejemplo, el rápido pasaje de un estadio social inferior a uno superior: inmigrantes semianalfabetos que pudieron educar a sus hijos en la Universidad pública, o la posibilidad de acceder a bienes que en sus países de origen (para los inmigrantes) o sencillamente en "otros países" (para quienes no lo eran), aun muchos años después eran considerados como lujos inalcanzables. Todas ellas son variables a tener muy en cuenta en el análisis de la probable génesis de las actitudes de "autosobrevaloración", tan visibles para los observadores externos y que con tanta frecuencia se nos atribuyen.

Dejamos pendiente para el capítulo final el análisis acerca de cuáles serán las diferencias que pautarán —dependiendo del proceso y contexto económico involucrado— la subsecuente aparición de actitudes de sobrevaloración nacional o de soberbia individual.

No somos pioneros en el planteo de este tipo de vinculaciones entre factores económicos y psicológicos. Ya Ortega y Gasset señalaba en su citado trabajo sobre la Argentina que "...la influencia que en la vida entera argentina, en lo moral y aún en lo sentimental adquieren las crisis económicas, sería inconcebible en una nación europea. Pero me parece un error explicar ese monstruoso influjo señalando simplemente la diferencia de constitución entre la economía de aquel país y las nuestras. *La causa decisiva es psicológica* y consiste, a mi juicio, en que dentro de cada individuo... ocupa el afán de riqueza un lugar completamente anómalo. Esta exorbitación del apetito económico es característica e inevitable en todo pueblo *nutrido por el torrente inmigratorio*" (el subrayado es nuestro).

El argentino feo en los tiempos de la decadencia económica y de la hiperinflación

Se han ponderado y entrecruzado variables económicas y sociodemográficas cuya influencia se ubica en la primera mitad del siglo.

Sin embargo, el panorama quedaría por fuerza incompleto si no se presentaran y analizaran por lo menos mínimamente las consecuencias psicosociales producidas en tiempos más recientes, por el inicio de la decadencia económica y por el ingreso, desde la mitad de los años setenta hasta fines de la década del ochenta, de los fenómenos inflacionarios e hiperinflacionarios, respectivamente.

Vayamos por partes y respetemos la secuencia histórica. Es razonable pensar que desde el punto de vista de los compromisos involucrados en la identidad nacional, no es lo mismo asumirla como tal en un contexto de expansión y prosperidad relativa, que por el contrario, en un ambiente de fracaso, decadencia y empobrecimiento, donde junto con la toma de conciencia de dichos compromisos, se produce la indeseable incorporación de estos contenidos a la propia identidad.

Los mecanismos psicológicos de identificación social nos hacen rápidamente partícipes del éxito social, más allá de cuál haya sido nuestra verdadera injerencia o participación en él. Hasta cuando se enmarca en las más modestas coordenadas de los logros deportivos, todos somos los "campeones del mundo", los "mejores", y "ganamos", aunque sea por unos días u horas. No pocos gobiernos y orientadores de las imágenes institucionales públicas o privadas lo han percibido y, por ende, obtenido réditos de distinta índole basándose en la utilización que les permite el conocimiento de dichos procesos. La identificación con "el éxito" por ejemplo, en las competencias deportivas, se transforma no sólo en un mecanismo de fácil gatillamiento social sino que además puede servir para enmascarar u ocultar la existencia de graves problemas en órdenes mucho más trascendentes para la sociedad.

¿Qué sucede en cambio, cuando nos encontramos en el proceso inverso, cuando en vez de rodearnos el éxito debemos asumir socialmente el fracaso? ¿Nos identificamos tan fácilmente con él como lo hicimos antes, aun cuando nuestro grado de participación sea mucho más cercano al que tenemos en una conquista deportiva? La respuesta pareciera indicar que en estos casos todo se sucede de un modo diferente. El fracaso suele ser de "los demás", al "ganamos" se le opone el "*se* pierde", "*se* fracasa"; a "nuestro" equipo lo sustituye "este" país. La decadencia es necesariamente impersonal, el progreso y el éxito suelen ir en cambio acompañados de la primera persona del plural.

No obstante, pensamos que previo a ese momento de impersonalización, por necesidad antecede el tiempo de la negación. Los años sesenta y los setenta, más específicamente, son un buen ejemplo de esto último. Pocos observaban las señales de alarma, los retrocesos en los terrenos económico, cultural, educacional y social en general, parecían ser sólo circunstanciales. El año 2000 encontraría a la Argentina de cincuenta millones de habitantes que alcanzaba su siempre "merecido" destino de potencia mundial. Palabras más, palabras menos, decía el general Perón en su último mandato como presidente (1973-1974); sin que ni él ni su auditorio siquiera se sonrojaran frente a tamaña afirmación. La concreción del sueño de una Argentina potencia hacia finales de siglo parecía una meta alcanzable, cuya legitimidad pocos se atrevían a discutir. Necesitamos perder una guerra y enterarnos de lo que significaba nuestra deuda externa para empezar a tomar conciencia, casi cruelmente, de que ya no éramos ni llegaríamos a ser lo que se suponía que "teníamos" que ser, ni tampoco ya estábamos seguros de haber sido alguna vez.

No son sencillos los procesos por los cuales los grupos humanos se adaptan y se defienden de situaciones como la precedente. *A posteriori* de la citada negación, se despertará una cierta sensación de injusticia, "¿por qué a nosotros?", "¿cómo nos puede estar pasando esto?"; la autoestima, la autoimagen positiva, se ven dañadas irremediablemente. El argentino feo comienza a delinearse en su versión más contemporánea. Importantes procesos y mecanismos psicológicos compensatorios emergen o inician aquí su tarea, pero eso constituirá tema de análisis en el último capítulo de este libro.

Veamos desde la óptica concreta e ilustrativa de los indicadores económicos, cómo ellos contrastan en un período ligeramente inferior al cuarto de siglo, que abarca desde 1950 hasta 1973.

El ingreso per cápita creció en ese intervalo de 615 dólares a 1.490 de la misma moneda, pero hete aquí que los 615 dólares de 1950 se parecían mucho a los 665 dólares de Alemania Occidental en esa misma época, eran 60% de los de Suiza o el Reino Unido, duplicaban los de Italia, y no parecían ni comparables con los misérrimos 165 dólares de Japón.

Casi veinte años después, los 1.490 dólares mencionados eran un poco más de un tercio de los de Francia, menos de un tercio que el ingreso per cápita de Alemania Occidental, la mitad que el de Italia, menos de la mitad que el de Japón, y así podría continuarse la lista (según datos del *Anuario Estadístico de las Naciones Unidas*).

Es sabido que estas macroestadísticas no son precisamente de las más confiables en aras de describir la realidad socioeconómica de un país (Emiratos Árabes Unidos tiene hoy en día uno de los ingresos per cápita más altos del mundo, pero esta cifra nada nos dice de cómo está distribuido este ingreso). Sin embargo, las diferencias entre las cifras marcan indubitablemente el sentido de la decadencia. Pese a ello, en aquel 1973 se podía soñar con la "potencia mundial". ¿Quién hoy, veinte años después, podría llegar a tener un sueño semejante?

Otro evento cuya influencia es habitualmente subestimada por muchos analistas políticos, económicos y sociales, es el fenómeno hiperinflacionario (1989-1990) y sus consecuencias. En esos años, la variación anual del índice de precios al consumidor alcanzó las astronómicas cifras de 3.079,5% y de 2.314% respectivamente. O sea, que los precios variaron en un 76.726% considerando ambos años. Estamos seguros de que muchos lectores, hayan vivido o no este proceso, difícilmente puedan dimensionarlo de manera adecuada.

Tiempo atrás un colega holandés especialista en psicología económica, sostenía que no había habido en el mundo muchas hiperinflaciones, y que desde ese punto de vista la ocurrida en nuestro país constituía un terreno fértil para los científicos sociales. Muchas veces, legos y no tan legos en estas cuestiones asumen con naturalidad que la hiperinflación equivale a "más inflación" o a "mucha inflación". Algunos economistas estiman que cuando el índice de precios al consumidor varía mensualmente en más de un cincuenta por ciento, nos encontramos en un proceso hiperinflacionario.

Aun cuando resta realizar y profundizar estudios sobre este tema, se puede afirmar que la hiperinflación es un fenómeno de consecuencias psicosociales cualitativamente diferentes de las de la inflación. Sin ánimo de ser mecanicistas, podríamos decir metafóricamente que la hiperinflación es a la inflación, como la psicosis es a la neurosis en el campo de la psicopatología. Tanto la neurosis como la psicosis son trastornos mentales, pero un psicótico no es alguien "muy neurótico"; es completamente distinto de un neurótico. Podemos (y de hecho lo hacemos) convivir socialmente con la neurosis, la ajena y la propia. Nos costará más o menos (sobre todo horas de analista). En cambio, convivir con la psicosis es una tarea para la cual no se encuentran con facilidad candidatos. Vivimos muchísimos años con la inflación, creímos ser inmunes para todo aquello que fuera inflacionario. Cuando experimentamos la hiperinflación nos dimos cuenta de que para eso no estábamos preparados.

¿Quién no sintió la angustia de no saber cuánto dinero se tenía realmente en el bolsillo, para qué nos alcanzaría el sueldo, cuántos ceros tendría la nueva cuenta del teléfono y, lo que es peor: cómo haríamos para pagarla? Al entrar a un comercio el precio de un producto podía tener dos cifras (como tenía la semana anterior) o quizás cuatro. La noción de lo caro y lo barato se había extraviado; y el sentido de nuestro trabajo se había perdido, en la medida en que no era posible ponderar el valor ni el alcance de la remuneración. Al igual que en la Alemania prehitleriana, fueron robados de las plazas y paseos públicos estatuas u ornamentos cuyos materiales tuvieran valor comercial.

No debe olvidarse que el fenómeno hiperinflacionario viene acompañado de una cruenta depreciación de la propia moneda, llegando al extremo de producir su repudio. Desde este punto de vista, la ley de convertibilidad sancionada *a posteriori* no hizo más que legalizar un estado de cosas vigente desde tiempo atrás. En la mente de los argentinos hacía ya muchos años que el símbolo monetario era el dólar. Para tener una idea de lo que esto significa, debe pensarse que, por ejemplo, en los países europeos, en general las personas no saben cuál es la cotización de su moneda con respecto al dólar americano. Tienen —según su grado de información general o de sus necesidades laborales— una idea más o menos aproximada, lo que se encuentra muy alejado de la vivencia cotidiana (y hasta horaria) que los argentinos hemos tenido de las fluctuaciones de los tipos de cambio.

Años atrás estando en México, presenciamos un fenómeno de características semejantes pero en una dimensión infinitamente menor, comparada con los parámetros de variabilidad a los que estábamos acostumbrados en la Argentina. Era notable para nosotros, al menos como observadores argentinos, la trascenden-

cia que a la decisión del gobierno de devaluar la moneda le otorga-
ban no sólo los medios de difusión sino también el hombre
común. Lo que se percibía era que los mexicanos parecían sentir-
se ellos mismos "devaluados". Nos preguntamos si esta sensación
a la que estuvimos tantos años expuestos no nos ha dejado también una huella de devaluación que excede el ámbito de lo monetario.

Ni el más fantasioso de los teóricos de la alienación social de
los años setenta podría haber concebido un período como el descrito. Como consecuencia, muchas de nuestras actitudes políticas
y sociales se redefinieron indeleblemente. No tememos afirmar que
los efectos de la experiencia hiperinflacionaria se expresan simbó-
licamente aun en la "estabilidad". Creemos que la misma estabilidad económica actual y sus correlatos y concomitancias políticas
no se hubieran sucedido, al menos tal como se aprecian hoy en
día, sin la vivencia previa de la hiperinflación.

Nuestra identidad como trabajadores, como responsables de
nuestras familias, quedó sin duda alterada y puesta en tela de juicio a partir de esos eventos. Y por supuesto, tampoco nuestra
identidad como argentinos se encontró excluida de ese proceso.
En "el granero del mundo" se saquearon los supermercados. Fue
un amargo despertar para quien aún no se hubiera dado cuenta
de que el sueño de la Argentina "europea" y "potencia" estaba
naufragando.

Se acentúa en esa época la emigración que iniciada en la
década del setenta por razones políticas, presenta ahora el rostro
de la necesidad económica. Las filas para tramitar las dobles ciu-
dadanías en las Embajadas española e italiana tenían cientos de
metros de largo. Ancianos de avanzada edad, esperaban desde la
madrugada frente a la Cámara Electoral Nacional para acreditar
su condición de no nacionalizados y poder acceder a la preciada
pensión europea. Muchos de ellos, seguramente, ayudaron en los
años cuarenta, cincuenta y sesenta, a los familiares y amigos que
habían quedado en Europa. Hoy extendían su mano hacia aquel
lugar de donde habían partido tantos años atrás.

Los distintos movimientos emigratorios argentinos desde 1970
en adelante, signarán notablemente nuestra imagen nacional en el
exterior.

Un siglo después de la llegada de las primeras olas inmigratorias a la Argentina, nietos y bisnietos de aquellos inmigrantes ini-
ciaron el camino de retorno a la tierra de sus antepasados.

Otros muchos argentinos se radicaron en distintas naciones americanas. Estados Unidos, Venezuela y México, junto con España y en menor porcentaje Francia, fueron los destinos predilectos de los emigrantes de los años setenta. A fines de los años ochenta, Italia —hasta ese momento no tenida en cuenta en la proporción en que los descendientes de italianos en la Argentina lo hubieran hecho presumir— se transforma en una codiciada meta a favor de la posibilidad de obtención de la ciudadanía para los oriundos de dicho país.

En gran medida, la imagen exterior actual de la Argentina en países como Venezuela, México o España pareciera estar signada por ciertos comportamientos negativos atribuidos a los emigrantes de estos últimos veinte años.

Muchos ciudadanos de los países mencionados dicen que su opinión sobre los argentinos mejora al visitarlos en su propio país. ¿Qué habrá sucedido con los inmigrantes? Lógicamente no se puede afirmar que quienes partieron fueran radicalmente distintos de quienes se quedaron, en tanto todos compartieron los mismos procesos de socialización y el medio ambiente cultural. Nos inclinamos a pensar en cambio, que al verse rodeados de un contexto desconocido y acentuada por ello su necesidad de supervivencia, emergieron de manera exacerbada muchas de las actitudes defensivas que habitualmente empleaban en nuestro medio ambiente más moderadamente y sin que mediara ningún contraste cultural. Es así que muchos de nuestros peores hábitos cotidianos (inventar o exagerar méritos, omitir limitaciones, omnipotencia, etcétera) colisionaron con un medio social que no estaba preparado para enfrentarlos. Si a esto le sumamos las secuelas de competitividad laboral que suele generar la presencia de grupos extranjeros, el cuadro de situación parece completarse.

Lamentablemente, pareciera ser que lo negativo ha prevalecido sobre lo positivo.

Cualquier mal comportamiento llevado a cabo por un argentino en el exterior, tiende a confirmar —a través de los mecanismos explicitados en el capítulo teórico— los estereotipos y prejuicios vigentes acerca de los argentinos en general.

En cambio, quienes desempeñaron sus actividades honesta y calificadamente —en tanto que víctimas de los mismos mecanismos prejuiciosos— pasaron inadvertidos, sorprendiendo a quienes los rodeaban al descubrir su nacionalidad.

Como nuestro personaje japonés de ficción, el señor Mitsushubi, los honestos, cumplidores, trabajadores, modestos y simpáticos son considerados argentinos "raros" en la medida en que no confirman ningún estereotipo que se tenga de la argentinidad.

Otro grupo vinculado a factores económicos que tuvo gran importancia en la formación de la imagen exterior argentina es el de los turistas. Quienes debido a la célebre "plata dulce" de finales de la década del setenta viajaron por el mundo, han dejado también un "inolvidable" recuerdo en la mayoría de los países que visitaron. El ya célebre "deme dos" se transformó en un sello distintivo de aquellos y de los actuales turistas en esta "segunda" (¿segunda?) plata dulce de los noventa. Nuestra tendencia a protestar y a quejarnos es también otra de las habituales características por las que se nos reconoce internacionalmente. Por no mencionar ciertos "olvidos" en el momento de partir de los hoteles.

Muchas de estas actitudes han alimentado leyendas y chistes, siendo notablemente reflejadas por humoristas extranjeros y argentinos.

La combinación de factores económicos y psicológicos no es habitualmente incluida en la literatura sobre las identidades nacionales. Esperamos haber atraído el interés de los psicólogos hacia este enfoque.

En general, han sido más abiertos los economistas a la consideración de las relaciones entre variables económicas y psicológicas de lo que hemos sido los psicólogos a la hora de evaluar las interacciones entre ellas. Los trabajos de George Katona son un sugerente y notable ejemplo precursor.

Sin embargo, por lo menos desde fines de la década del setenta, el área de aplicación de la psicología denominada "psicología económica" se viene desarrollando de manera constante.

En Europa, hacia fines de los años ochenta e inicios de los noventa surgieron una serie de estudios cuyo rótulo podría ser "psicología del auge económico". Los temas que se agruparon bajo el mismo, trataron como disturbios del comportamiento la compulsión a la compra, o al consumo en general. Quizás en la Argentina tengamos, tal como sugiriera nuestro colega holandés, suficientes elementos y experiencias para un campo que se denominaría "Psicología de la decadencia económica".

En el último capítulo se intentará relacionar las ideas hasta aquí desarrolladas, y aportar otras que contribuyan para el delineamiento final del tema.

ALGUNAS REFLEXIONES FINALES

> —¿Por qué cuando hay relámpagos los argenti-
> nos salen a la calle?
> —Porque se creen que Dios los está fotogra-
> fiando.

Comentarios iniciales

Hemos recorrido a lo largo de estas páginas un camino que se inició con la presentación de los contenidos más periféricos y superficiales del problema.

La mala imagen de la Argentina y de los argentinos como grupo nacional ha sido ejemplificada a través de numerosas situaciones, que nos guiaron en la búsqueda de sus raíces históricas.

A continuación, se esclarecieron algunos de los posibles mecanismos psicológicos involucrados en su gestación y mantenimiento en cuanto estereotipo social, como así también sus vínculos con la identidad nacional. En aras de alcanzar dicho objetivo, fue necesaria la convergencia de múltiples enfoques que, si bien no agotaron (lo que sería no sólo presuntuoso sino irrealizable) el tema, permitieron reunir una importante cantidad de elementos relevantes para su esclarecimiento.

Los antecedentes presentados nos permiten en esta etapa comenzar a establecer relaciones entre los distintos planos del análisis, con el objeto de formalizar una síntesis final.

Acerca de la investigación

Los resultados obtenidos en diferentes países corroboraron por vías formales aquello que es informalmente conocido. Es decir, el predominio de las caracterizaciones negativas en las descripciones que se hacen de los argentinos como grupo nacional.

A modo de recapitulación, enumeraremos todas las características encontradas.

El listado incluye tanto los datos provenientes de la aplicación de nuestro cuestionario en países americanos, como de las opiniones de viajeros, poetas, filósofos, escritores, etcétera.

Repasemos y recordemos: ostentosos, pretenciosos, cursis, plagiadores, nada originales, ridículos, pueriles, esnobs, aspaventosos, enfáticos, narcisistas, soberbios, carentes de fluidez y con exceso de empaque, egoístas, vanidosos, sobradores, "cachadores", pedantes, creídos, ególatras, antipáticos, discutidores, prepotentes, hospitalarios, pobres, sumisos, subdesarrollados, inestables, alegres, quejosos, amigos, exitistas, agresivos y petulantes.

Con respecto a los datos obtenidos en la investigación, su análisis detenido permite apreciar que en muchos de ellos —con independencia de que algunos pudieran constituir temas muy específicos, como la relación Chile-Argentina—; el tenor de las caracterizaciones era semejante y coincidente con el de otras fuentes de información.

Otro tópico sugerente fue que se incluyeran aspectos negativos en las autodescripciones de la muestra argentina, concordantes con los adjudicados en el exterior. Esto indicaría algún grado de conciencia de la situación, a la vez que cierta capacidad de autocrítica.

Autocrítica e hipercriticismo

Numerosos extranjeros han admitido la enorme vocación autocrítica que los argentinos en general ejercemos con masoquista frecuencia. Ni siquiera cuando nos va bien está bien, ya que podría haber sido mejor. O qué lástima que además no... Y si a alguien se le reconoce un éxito, es lamentable que sea un poco gordo, demasiado joven, demasiado viejo, en el fondo antipático, para colmo mujer, no se le conoce novio/a, se peleó con su maestra de segundo grado, es sabido que maltrata a su gato o tantas otras cosas que las febriles mentes argentinas elaboran con rapidez.

Pero más allá del humor, o pretendido humor, lo real es que no tenemos pelos en la lengua para criticarnos como sociedad o como país: "¿que querés?, somos argentinos" es una frecuente muletilla que se adosa a innumerables situaciones de la vida cotidiana.

Lo que a partir de esto importa subrayar, es la capacidad de reflexión que implica la autocrítica, y que desde ese punto de vista es un aspecto saludable, en la medida en que no naufrague en un hipercriticismo estéril o maníaco carente de todo sentido constructivo y reflexivo.

Una conducta que suele ser indicativa de esto último, es la forma negativa en que con gran frecuencia los argentinos se refieren a su país, en especial quienes emigraron o quienes se hallan accidentalmente fuera de él.

A la idealización del terruño abandonado que según De Amicis caracterizaba a los inmigrantes italianos de fines del siglo XIX, el emigrante argentino muchas veces exagera sus críticas casi hasta el absurdo respecto del suyo, en lo que pareciera ser un mecanismo facilitador de la ruptura que toda emigración importa. Si es por entero negativo lo dejado atrás, lo que queda por delante se transforma por lógico contraste en mucho mejor de lo que realmente es. Son obvios los beneficios psicológicos de esta postura en tanto que favorece la adaptación a un medio extraño, y, en ciertas ocasiones hasta hostil.

Pero no sólo los emigrantes sino todos quienes así se expresan parten del supuesto de encontrarse excluidos de los defectos que ellos mismos le atribuyen a la sociedad en la que viven o vivieron. Aplican una racionalidad en sentido inverso a la de la mayoría de los habitantes de otros países: descalifican al suyo y pretenden que dicha descalificación no los alcance sino que los redima. Es como si en la exhibición del minucioso resumen de defectos propios de su sociedad se exorcizaran de ellos y quedaran libres de responsabilidad, culpa y cargo. Lo que no alcanza a comprenderse es que es muy difícil para quien escuche imaginar que alguien pudiera haber vivido en un medio social "plagado" de defectos, y quien lo cuenta fuera un producto social independiente del medio en el que se ha socializado. Algo así como si este ser hubiera evolucionado en una especie de burbuja aséptica, aislado de todos los males que lo rodeaban. La otra explicación posible a este extraño fenómeno de incontaminación social sería que, en una sociedad caracterizada por los "corruptos", "vivos", "aprovechados", "irresponsables", justo nos encontramos frente a la excepción que por supuesto confirma la regla.

Nos cuesta a los argentinos darnos cuenta de que los ejercicios dialécticos de este tipo lejos están de eliminar las dudas y resquemores con respecto a nosotros (individualmente). Con estas actitudes los sembramos y abonamos en el ánimo de quien nos escucha.

Esta conjunción de autocríticas e hipercríticas otorga un estilo propio, que no se presenta tan comúnmente en otros puntos de América. Los argentinos podremos ser en buena medida presuntuosos, pero no lo son menos —o lo son en un sentido diferente— quienes pese a su mejor talante, tolerancia y simpatía adoptan una postura nacionalista a la que adhieren sin concesiones, y que los hace incapaces de reconocer defectos a su propio país y a sus conciudadanos. Si a los argentinos no nos molesta —y casi disfrutamos— el criticarnos, en algunos países cualquiera que no demuestre un fanatismo ciego, un nacionalismo acrítico —más aún cuando dialoga con extranjeros— corre el riesgo de ser tildado de "traidor" o "antipatriota". Las posibilidades de autocrítica son menos que limitadas. Es así que existen en Latinoamérica naciones en las que sus "nada soberbios" ciudadanos las consideran "las mejores del mundo", y podemos asegurar —sin hacer nombres para no herir sensibilidades— que no estamos pensando en un caso aislado.

Tiempo atrás, una cadena de televisión por cable presentó una encuesta realizada en distintos lugares de América. En ella se solicitaba a personalidades de la cultura, del arte y a ciudadanos comunes definiciones acerca de los perfiles de su nación y sus habitantes. En el caso de las opiniones vertidas por los argentinos participantes, las respuestas presentaban un porcentaje por lo menos equivalente —sino mayor— de rasgos negativos y positivos; que contrastaban nítidamente con las casi monolíticas descripciones positivas de sí mismos realizadas por muchos de nuestros vecinos.

Consideramos que los resultados de nuestra investigación referidos al punto "preferencia de países" denotan en algún sentido lo que hasta aquí se ha propuesto de manera más especulativa. Cabe recordar que si bien la Argentina fue elegida como el país más preferido por más del cincuenta por ciento de los argentinos encuestados, una cifra cercana al *cuarenta por ciento* (porcentaje nada despreciable) eligieron a otro país antes que el propio. Esta cifra sólo tiene parangón con las obtenidas en Venezuela y Perú.

Es posible pensar, a partir de estas premisas, por qué el nacionalismo tiene en la Argentina, como actitud psicosocial, componentes que le son propios, que lo acercan a lo que podría denominarse "nacionalismo crítico". En éste se combinarían la preferencia por el propio país con las posturas críticas con respecto a él.

Más allá de las ventajas inherentes a las posturas autocríticas, es evidente tal como dijéramos, que los excesos en las mismas obstruyen la posibilidad de establecer vínculos positivos entre los miembros de un grupo alrededor de la idea de la nacionalidad lo que acarrea importantes dificultades a la hora de constituir la identidad nacional.

Sobre estereotipos y percepciones sociales

En el capítulo teórico de este libro fue descrita la dinámica de los procesos y mecanismos intervinientes en la formación de los estereotipos y prejuicios sociales.

Comprendimos por qué los estereotipos pueden ser injustos, pero por ser funcionales socialmente se mantienen en el tiempo (aunque se hace necesario subrayar que, en tanto construcciones sociales, son pasibles de modificación).

Es importante, además, considerar algunas de las vinculaciones existentes entre la percepción social y la estereotipación, para determinar con mayor precisión el alcance de la afirmación anterior.

Al igual que en otras situaciones sociales, los comportamientos son percibidos y evaluados sobre la base del repertorio de las categorías utilizadas con más frecuencia por los individuos (que son reforzadas mediante el aprendizaje social) y de ellas se valen para ordenar y organizar la realidad en sus relaciones con el ambiente. Así, por ejemplo, disponemos de códigos socialmente compartidos que permiten "decodificar" (intepretar) actitudes, gestos, tonos de voz, o el empleo de tal o cual vocablo, o algún sinónimo. Dos ejemplos servirán para ilustrar.

En la Argentina se sabe qué es una "falda" sin necesidad de consultar el diccionario. Sin embargo, rara vez se usa esa palabra y en cambio decimos "pollera". En España, por el contrario nadie diría "pollera", palabra asociada a otros significados, aun cuando se sabe a qué prenda se alude cuando se la menciona.

La "pava" es en general, en el mundo hispanoparlante, la hembra del pavo, y no ese adminículo que usamos los argentinos para calentar el agua. A diferencia del caso anterior, no sólo es una palabra que nadie utiliza con ese significado sino que además difícilmente alguien podría imaginar a qué nos estamos refiriendo al decir "pava".

Los códigos a los que se ha aludido son aprendidos mediante los procesos de socialización a los cuales todos los individuos pertenecientes a una misma cultura se ven sometidos desde su infancia. O sea, se aprenden las relaciones con los demás, qué decir o qué callar, cómo comportarse y qué comportamientos ajenos esperar en cada situación. Todos, por lo tanto, hemos sido socializados de acuerdo con los parámetros imperantes en cada cultura, lo que es perfectamente lógico y esperable en cualquier sociedad humana dado que ello asegura su continuidad funcional.

En relación con esto último, nuestra hipótesis al respecto —y que configura un problema que afrontamos como grupo social— es que muchas de nuestras pautas culturales de interacción tienen para los extranjeros connotaciones de sentido diferente (sugiriendo por ejemplo, soberbia y antipatía), de manera análoga a lo que sucede con la intepretación de las palabras. Pero la magnitud del problema no está dada por los casos vinculados a cuestiones polisémicas —que son fácilmente solucionables mediante la experiencia— sino por los hábitos o costumbres que se expresan en comportamientos *a priori* inocentes o neutrales: saludos, contestaciones, pedidos, formas y modales, etcétera. Ellos pueden resultar negativos o disonantes para los demás, permitiendo de esta forma el afianzamiento del estereotipo.

Si convenimos en que los procesos de socialización proveen a los individuos del conjunto de conocimientos que les permite adecuarse de manera más o menos eficiente a su medio, debemos aceptar también que un enfrentamiento entre las pautas generadas en diferentes culturas puede provocar conflictos de distinta intensidad. Estos se hallarán además influenciados por la presencia de estereotipos y prejuicios entre los distintos grupos involucrados.

Este proceso acarrea consecuencias negativas sobre la ya maltrecha imagen de los argentinos. ¿Por qué hacemos esta afirmación? Porque las actitudes y comportamientos *efectivamente* antipáticos y soberbios, discutidores o pretenciosos —por citar algunos de los que se nos atribuyen más asiduamente— son magnificados a través del prisma de las diferencias culturales, retroalimentando por esta vía aún más los prejuicios y estereotipos sociales sobre los argentinos.

Podrá sensatamente argumentarse que no todos los argentinos son soberbios, antipáticos o discutidores. Pero una característica propia de los procesos de percepción social orientados por prejuicios o estereotipos, es el potencial de injusticia resultante de su capacidad de generalización y absolutización.

Dicho en otros términos: para que un prejuicio sea sostenido y pueda discriminar a un grupo respecto de otro —es decir, de diferenciarlo con eficiencia— debe necesariamente incluir a todos los miembros del grupo al que alude en la categoría que los describe ("Todos los negros son vagos", "Todos los argentinos son antipáticos"). De no ser así, si se empiezan a considerar "excepciones a la regla general", muy pronto perderá su vigencia. Lo que importa es que si un argentino es antipático o soberbio, eso coincide con lo esperado y confirma la hipótesis del observador con respecto al grupo. Si en cambio es modesto y simpático —tal como sostuviéramos en otra parte— es visto como un argentino "raro". O bien se espera que en cualquier momento muestre su verdadera "naturaleza" antipática y soberbia.

Sobre hábitos, usos y costumbres

Veremos algunos de los comportamientos que expresan lo que se ha planteado de manera teórica.

Uno de los casos que mejor ilustra esta cuestión, es nuestra típica forma de hablar. Quien se detenga a observar a un argentino o a un grupo de argentinos —sobre todo después de haber estado un tiempo fuera del país, en contacto asiduo con otros hispanoparlantes— no puede evitar percibir que muchas veces cuando hablamos, más que dialogando con los interlocutores, pareciera que monologáramos o disertáramos. Los gestos que acompañan la disertación, sugieren la presencia de un imaginario auditorio alrededor del o de los protagonistas. El tipo de lenguaje empleado, casi siempre aseverativo, denota un "gran conocimiento" de las cuestiones tratadas, que aun siendo a veces real, no logra evitar que sea salpicado por la suspicacia que provoca el exceso de formalidad o de pretendida gravedad.

El uso que hacemos de los tonos de voz hace presumir con frecuencia que cuando pedimos algo, más que pidiéndolo estuviéramos ordenándolo, con las previsibles consecuencias que tal malentendido conlleva. Ese mismo énfasis, del que hablara Ortega y Gasset hace más de medio siglo, sume a los circunstanciales oyentes —más aún si son extranjeros con poco contacto con argentinos— en una cierta seducción inicial que se va diluyendo al ver que con igual énfasis se tratan todos los temas y cuestiones abordados. Queriéndolo o no, siempre parecemos eruditos. Las exposiciones pueden versar tanto sobre economía, política, finanzas internacionales, medio ambiente y hábitat, psicología, etcétera. Como bien dice Carlos Ulanovsky es su libro *Los argentinos por la boca mueren* (1993): "Siempre tenemos algo para decir. No nos callamos ni cuando nos toca".

Es verdad que a veces se trata de los comúnmente llamados "sabelotodos" (de los que poseemos una muy elevada producción), pero aun quienes no se encuadran dentro de esa definición también lo hacen, siendo muy poco conscientes de sus efectos. En la Argentina, casi siempre nos expresamos de esa manera y no está mal visto, lo que por supuesto no beatifica el hábito, pero lo autoriza en tanto que se encuentra legitimado socialmente. Es decir, que como se dijera antes, forma parte de las conductas esperables en la interacción social.

Quizá convenga recordar aquí que en los resultados de la investigación las respuestas más benignas para los argentinos se obtuvieron principalmente en aquellos países que no comparten nuestra lengua, Brasil a nivel regional (pese al importante contacto entre ambas naciones) y los Estados Unidos. Aunque en este último, otros factores ya esclarecidos en el capítulo correspondiente parecen mucho más decisivos. Pero es obvio que los hispanoparlantes continentales o extracontinentales son quienes se encuentran en mejor posición para percibir el estilo arquetípico de nuestro discurso.

A menudo se presencia a través de los medios de difusión, la reproducción de estos estilos comunicacionales. A los que se puede agregar la tendencia casi compulsiva a contestar acerca de cualquier tema. Al consultarse a personas en la calle con respecto a ficticios autores de supuestos "éxitos" literarios, musicales, o logros científicos, los entrevistados se explayan con frecuencia tanto sobre unos como sobre otros.

La autoridad que emana de la figura del periodista, sumada a la compulsión a la que se hacía referencia, más el temor al ridículo que para los argentinos implica aceptar que no se conoce algo que es supuestamente importante con su consecuente temida falta de reconocimiento social, provoca las más desopilantes respuestas. El imperativo social pareciera ser: "Hay que saber". Y si no se sabe, se inventa...

Un derivado de esta actitud, son las modas. Su influencia en nuestra sociedad es de una desproporcionada trascendencia. No tener lo que se usa tener, no decir o usar lo que está de moda sumerge al protagonista en una situación muy embarazosa. No estamos hablando sólo de los adolescentes, quienes como es sabido, atraviesan evolutivas crisis de identidad; sino de personas adultas que las han superado hace mucho, o debieran haberlo hecho. Cuesta pensar en algún otro país donde se encuentre una sociedad que presente rasgos tan uniformes como la nuestra. Cuando algo se ha impuesto, muy pocos se atreven a desafiar los designios de la moda o del mercado. Parecieran no importar los gustos personales, o si el hábito, prenda o nueva costumbre nos favorece más allá de la tranquilidad que otorga el saber que nos veremos como los demás. Es ésta una afirmación que para el argentino permite la peculiar equivalencia: verse como los demás, ser como los demás.

Otro comportamiento llamativo, es la forma en que algunos argentinos ingresan a los lugares públicos..., la vista recorrerá el salón mirando pero sin ver, una cierta trabazón muscular invade subrepticiamente el cuerpo de los hombres otorgándole a su andar reminiscencias de "Robocop"; a la vez que una infaltable y siempre oportuna brisa obliga al "casual" meneo de la cabellera de las mujeres. Sin dudas: *hemos llegado*.

Hasta ahora se han descrito comportamientos protagonizados por personajes anónimos. No quisiéramos sin embargo olvidar lo qué sucede con algunos de quienes han obtenido éxito y renombre en algún campo. En estos casos, se advierten ciertas mutaciones en el personaje en cuestión. De improviso comienza a expresar sus ideas nombrándose a sí mismo en su discurso. Por ejemplo, "Fulanito piensa que" (y Fulanito es quien habla), o bien su habilidad para determinada función lo califica para opinar sobre cualquier otro tema, aunque éste no tenga la más mínima relación con el campo de su actividad o los conocimientos que acredite. Pareciera que el acceso al éxito se transforma en una suerte de confirmación de un destino que siempre lo hubiera aguardado, como una profecía autocumplida. Presunción ésta que, como observara Ortega y Gasset en su visita a la Argentina, estaría ampliamente difundida y generalizada.

Desde algún lugar más o menos íntimo de nuestro corazón,

confiamos en que nos aguardan los oropeles de la fama. Nos aventuraríamos a decir que este convencimiento generalizado del éxito futuro es un supérstite o vestigio de los sentimientos que albergaron los inmigrantes al llegar a nuestras costas. De ellos habrán extraído la fuerza y la convicción necesarias para superar las dificultades y justificar el sacrificio que implicó su trasplante a esta parte del mundo. La versión actual está orientada hacia objetivos mucho menos loables.

Otra modalidad que se encuentra incluida en nuestras actividades discursivas es la de considerar a la Argentina como un tema central, de relevancia internacional. Frente a eventos políticos o incluso deportivos, se comenta con frecuencia "lo que pensarán en el resto del mundo". Para bien o para mal según el caso, en el resto del mundo se piensa muy poco o casi nada sobre la Argentina dado que, con la sola excepción de los logros de algunos deportistas, constituye algo así como un punto ignoto del globo terráqueo. Un mito derivado de esta forma de pensar es aquél que afirma que en Europa —especialmente en España e Italia— se nos considera de manera diferenciada debido tanto a los lazos de sangre como a la ayuda alimentaria que la Argentina les dio en la posguerra. Este último hecho —cuya veracidad no es puesta en tela de juicio— no es hoy en día ni recordado ni tenido en cuenta por la mayoría de los habitantes de dichos países. Lamentablemente, se constituye por esta razón en otra de las posibles fuentes de desilusión para los argentinos que creen que Europa "nos debe algo".

Tal es el grado de desconocimiento y desinformación sobre la Argentina, que es común que se piense que disfrutamos todo el año de un clima tropical, hay quienes no sólo se preguntan si hablamos portugués sino que, con expresión de gran conocimiento, afirman que lo que se habla en la Argentina es un "dialecto derivado del portugués" *(sic)*.

Pese a todas estas decepciones, insistimos más de lo recomendable en hablar mucho del país, lo que no deja de ser una forma de hablar de nosotros mismos. En las mentadas "exposiciones" se cuentan con lujo de detalle sucesos políticos o económicos que sólo tienen relevancia localmente. La Argentina es un lugar donde suceden cosas únicas. Ante los problemas o vicisitudes que atraviesan otras naciones, el comentario suele ser : "Ah, pero comparado con lo que pasa en la Argentina eso no es nada". Convengamos que con frecuencia algunos de los eventos políticos de la vida

Argentina parecieran ser únicos —o al menos deseamos ferviente-
mente que así lo sean para que otros no tengan que padecer la
misma experiencia—, pero como bien expresa el ya citado Ulanovsky: "Vimos y vivimos el mundo desde un argentinocentrismo
inexplicable, y cuando nos tocó definir cómo eran los demás y distintos, lo hicimos muchas veces desde la ignorancia y desde la
soberbia".

Psicología de la soberbia

Quizás haya llegado el momento —al repasar las anteriores
descripciones— de plantear la pregunta: ¿realmente somos tan
soberbios, antipáticos y engreídos como se nos recrimina?, o ¿por
qué trasuntamos esa imagen de omnipotencia y superioridad que
se manifiesta en muchas facetas de nuestro comportamiento?

Es difícil dar una respuesta simple, puntual y unívoca a estos
interrogantes. Desarrollaremos algunas posibles aproximaciones
desde el plano psicológico.

Creemos —coincidiendo con Mafud— que en la raíz de nuestras actitudes soberbias o presuntuosas se encuentra el afán de
ocultar un gran complejo de inferioridad que nos caracterizaría
colectivamente. Parafraseando metafóricamente lo que diría algún
psicoanalista, nuestra soberbia sería una manifestación ampliada
en lo social del mecanismo de formación reactiva que a nivel individual hace actuar a las personas de tal manera que expresan en
su conducta todo lo contrario de lo que quieren ocultar y temen
que se perciba (subrayamos que se trata de una interpretación
metafórica y no de una extrapolación de términos de la psicología
individual a la psicología social).

Esa recurrente exhibición de seguridad, no sería más que la
exteriorización de un denodado esfuerzo por disimular lo que en el
fondo no es más que una gran inseguridad. Los realmente seguros
y convencidos de sus fuerzas, no necesitan reafirmarlo en forma
permanente. Quienes en cambio dudan de ellas, se sienten obligados a demostrar y demostrarse a sí mismos su fortaleza constan-
temente.

En el libro titulado *La locura argentina* de G. Ekroth (1993), el
autor se pregunta: "¿Qué es para los argentinos el exitismo? ¿Un
camuflaje de la debilidad, tal vez, o una deslumbrante armadura
que protege a un pobre concepto de sí mismo?... ¿Qué es la petu-

lancia en los argentinos? ¿Un escondite para los sentimientos de inferioridad o tal vez un escudo contra posibles agresiones?" Nos inclinamos a pensar que estas consideraciones se encuentran no muy lejos de la verdad. Pero habría también otras razones a las que responderían nuestras actitudes soberbias. En el capítulo sobre los vínculos entre las cuestiones económicas y las psicológicas se señaló que la decadencia económica y las subsecuentes secuelas de frustración constituyeron un adecuado contexto para la proliferación de la soberbia individual como mecanismo compensatorio del fracaso social.

Es necesario en este punto diferenciar esta soberbia individual fundada en la decadencia social, de aquella a la que se aludiera cuando sostuvimos que el auge económico suele facilitar sentimientos de omnipotencia *generalizada*.

En este caso, la situación es radicalmente distinta. Se trataría de "yo me salvo aunque todo se hunda"; mientras que a mediados de siglo la sensación de superioridad habría abarcado no tanto al individuo como tal sino a "lo argentino" como la expresión de un colectivo exitoso que envolvía a toda la sociedad en su conjunto y a los productos de ésta.

Dentro de este esquema, el de la "subsistencia individual", les va mal a los "demás", los incapaces son los otros, o si "nos" va mal y no logramos plasmar en hechos concretos nuestras "brillantes capacidades" la culpa es de "este país". Lo cual además es confirmado por la sucesión de desastres económicos y políticos que han signado buena parte de su historia. Como describe Maritza Montero cuando se refiere a·la construcción social de identidades colectivas negativas, "El mantenimiento del autoconcepto y autoestima positivos se dan en el nivel individual pero se disocian en el nivel colectivo, pasando a coexistir con un autoconcepto y autoestima grupales predominantemente negativos".

Es cierto, numerosas veces nos ha ido mal por razones que se encontraban en muchos sentidos más allá de nuestra capacidad de resolución. Situaciones históricas, económicas y geopolíticas confluyeron desde el contexto internacional e hicieron sentir sus efectos en el país. Pero no sería justo, ni con la historia ni con nosotros mismos, no inventariar también las culpas y responsabilidades propias.

Hemos sido ciclotímicamente, confiados en exceso o desconfiados en demasía, desaprensivos, gastadores a cuenta, seguros, oportunistas, faltos de memoria, negadores y autoritarios.

Probablemente los factores hasta aquí enumerados, hayan interactuado en distintos momentos para favorecer la consolidación de las características psicosociales que definen nuestra identidad.

Se hace importante, además, considerar a la luz de los mecanismos de comparación social de qué forma pueden haberse estructurado las relaciones de la Argentina con el resto de los países latinoamericanos.

Cabe preguntarse si siempre ellos han constituido un exogrupo significativo, es decir un parámetro o punto de referencia tal como lo pueden ser en la actualidad.

Del análisis de los datos de la investigación y de los indicadores socioeconómicos podría concluirse que durante mucho tiempo ello no ha sido así. La Argentina sí pareciera haberlo constituido —por lo menos en determinados momentos y sobre todo en el ámbito regional más cercano— lo que tal vez explique las diferencias en algunas de las actitudes como las que se manifiestan en los resultados de la investigación, cuando es incluida en las listas de preferencias al mismo tiempo que en las de no preferencias; y criticada acerbamente.

Los argentinos, con la vista orientada durante tanto tiempo hacia Europa, no se habrían detenido a pensar demasiado en el propio continente. En el capítulo referido a los aspectos teóricos, se dijo que hemos sido turistas en nuestra propia tierra. Pero también es necesario clarificar que —con independencia de las negativas consecuencias que en las relaciones con el resto de los latinoamericanos esta conducta significó— existía una base social y económica que permitía concebir como posible esa forma de pensar. Lejos estamos de decir que haya sido la más acertada, pero sí que estaba sustentada en algún tipo de racionalidad, es decir, que no era un delirio fantástico.

Quien tenga en mente las cifras, tanto las relativas al impacto de la inmigración como a los indicadores económicos, apreciará que aportan un importante elemento de juicio a favor de esta interpretación.

Podría concluirse este apartado señalando que tanto las variables psicológicas como psicosociales —aunque por diferentes razones— han facilitado la consolidación de ciertos rasgos y el reforzamiento de los estereotipos que acerca de los argentinos se sostienen de manera sólida y consistente a través del tiempo.

Autoridad, poder y autoritarismo

Este listado de faltas y características nacionales estaría necesariamente incompleto si no se añadieran algunos comentarios sobre el autoritarismo y su importancia en la constitución del ser nacional. El que tiene, dada su relevancia, peso específico propio.

El autoritarismo subyace en nuestra sociedad y en quienes la componemos, constituyendo un verdadero patrón de conductas y actitudes de las cuales el "argentino feo" no es otro que uno de sus más logrados exponentes.

La dificultad para tolerar la diversidad de opiniones —que naturalmente se da con mayor frecuencia en el contacto con personas provenientes de otras culturas— es una de las tantas expresiones de nuestro acervo autoritario.

Las relaciones y percepciones que los argentinos tienen hacia el poder formalmente instituido, constituyen una interesante perspectiva de análisis.

Hemos tenido —y seguimos teniendo— una mala relación con la autoridad. Sucesivos gobiernos de facto o fraudulentos (aunque en apariencia democráticos) habrían dejado una experiencia social negativa que, encapsulada en todos nosotros, aflora con recurrente frecuencia. A través de la historia, tanto lejana como reciente, numerosos y diversos acontecimientos nos han ido llevando a construir una imagen del poder político en la que autoridad, justicia y legitimidad son términos generalmente antitéticos, y que transitan por lo tanto por vías separadas. Esto último hace que aun cuando la figura de la autoridad se encuentre legitimada por mecanismos políticos democráticos, en último análisis siempre se la considera ilegítima, lo que permite una curiosa convivencia de actitudes de acatamiento y transgresión hacia ella.

Entre otros derivados, esta situación ha facilitado el desarrollo de un elevado consentimiento social a la idea de la corrupción pública. Como también a algunos "males menores", por ejemplo: la protesta como medio idóneo para alcanzar metas. No nos referimos a la protesta social organizada como vehículo de presión política, sino a la protesta individual ante cualquier situación en la cual se vislumbre un posible perjuicio, aunque éste sea la razonable consecuencia de un mal proceder. Más que de la protesta, se trataría de una "queja metódica", que muchas veces permite obtener las cosas que nos corresponden por derecho, y las que no nos corresponden "por izquierda", reforzando así la sensación de que es el único medio —o al menos el más efectivo— para alcanzar los objetivos.

Dicha queja con frecuencia es reproducida en las conductas en el exterior, tal como dice la letra del tango *Cambalache:* "el que no llora no mama" se reitera como actitud en contextos totalmente distintos de aquellos que la generaron. De esta forma, las frustraciones y malos modos socialmente aprendidos se descargan en inocentes destinatarios acentuando los problemas de relación.

Mitos fundacionales e identidad

No han sido gratuitas las afirmaciones acerca del papel decisivo que desempeñó la inmigración en la constitución de la identidad nacional. Sus efectos son claramente visibles aún hoy en día. Los argentinos contemporáneos no sólo llevan en gran número los apellidos de sus antepasados inmigrantes, sino que casi cien años después del arribo de las principales olas inmigratorias manifiestan en sus comportamientos y actitudes mucho de la psicología de aquellos. En este libro, a través de numerosos ejemplos se ha tratado de presentar tanto los aportes negativos como los positivos que este fenómeno migratorio acarreó.

La inmigración en sí misma supera en la Argentina la definición sociológica clásica, ya que está incorporada a una categoría diferente: la de los mitos nacionales. Atribuyéndosele así un poder explicativo casi ilimitado. Decir Argentina es casi sinónimo de país de inmigrantes. La imagen de Buenos Aires está indisolublemente asociada con los procesos migratorios de principios de siglo. La idea de un mosaico de nacionalidades, aun no del todo amalgamado, se encuentra íntimamente ligada a este tipo de representaciones.

Es conveniente hacer una breve explicación del concepto de mito. Se puede pensar en los mitos, en general, como construcciones y reconstrucciones de la memoria colectiva alrededor de un hecho histórico más o menos verídico, según el caso, que transmitidos de boca en boca y de generación en generación a lo largo del tiempo se han ido enriqueciendo y consolidando en torno de un núcleo principal.

En todas las culturas se observa su presencia, ya que constituyen en cierta forma un marco referencial y estructurante de múltiples historias derivadas.

Algunos autores como Nimmo y Combs (1980) sostienen que los mitos modernos responden a ciertas características básicas. Deben ser fácilmente comprensibles y creíbles, es decir, deben apoyarse parcialmente en eventos reales. Son creados a través de un proceso social, y pueden ser un emergente colectivo espontáneo, o el producto intencionalmente creado por un grupo específico. Su estructura es dramática; tiene principio, desarrollo y fin. Cuando un mito se ha consolidado, rara vez es cuestionado. Suelen responder a objetivos prácticos (por ejemplo, los mitos políticos pueden ser utilizados como medios de control social a través del mecanismo de la persuasión).

Estos autores además, distinguen tres tipos básicos de mitos. El primero de ellos, es el que denominan "mito fundacional", y es el que nos interesa desarrollar dadas sus indudables resonancias psicosociales. Los mitos fundacionales acompañan con distinto grado de evidencia el origen de los Estados, y son considerados como elementos activamente influyentes en su ulterior desarrollo político y social. Historiadores y teóricos de la ciencia política han desarrollado interesantes estudios sobre ellos. Braud (1991) señala a este respecto: "El mito es un cuento explicativo cuya virtud no reside en su veracidad sino en la satisfacción de las expectativas emocionalmente marcadas por la angustia del vacío. Hay que responder al deseo de saber, hay que dominar lo incomprensible o inaceptable exorcizando las dudas. El mito es un delirio controlado de la razón que apunta a regular otros delirios socialmente más inaceptables".

Los mitos fundacionales se vincularían a una constelación de factores, tales como valores, ideales, historias comunitarias, gestas individuales, personajes, y objetivos, entre otros; que se encontraría presente en el momento fundacional sirviendo de apoyatura a las construcciones ulteriores.

Algunos ejemplos de este tenor se consideran paradigmáticos: la Independencia de los Estados Unidos, la Revolución francesa, y la Revolución cubana. Los contenidos ideológicos que acompañaron a estos procesos históricos mantienen aún hoy en día una clara presencia en el espíritu y las instituciones de estos pueblos.

Pero aplicando el mismo criterio de análisis nos preguntamos: ¿Cuál es el mito fundacional de la Argentina y de qué manera se hace presente en la actualidad?

Este interrogante plantea una agenda abierta al trabajo interdisciplinario entre psicólogos y colegas de otras disciplinas. Pero quisiéramos aportar algunas ideas para colaborar en su reconstrucción y reconocimiento. Se intentará, a partir de las características psicosociales observables en nuestra sociedad, delinear lo que podríamos llamar su "identikit". Al hacerlo, en el mismo planteo del problema aparece una importante dificultad inicial, que podría formalizarse de la siguiente manera: ¿existe un inequívoco mito fundacional en los orígenes de la Argentina? o, por el contrario, ¿lo que muestra nuestra historia es la pugna entre distintos y muchas veces excluyentes modos de concebir el modelo de país y, por lo tanto la idea de lo nacional y de lo argentino?

La gran cantidad de sucesos de signo contrario que se han presentado a lo largo de la vida argentina, parecen indicar esto último. Aun hoy en día nos cuesta establecer una versión sintetizadora de la historia. Por ejemplo, el 25 de Mayo de 1810 tuvimos nuestro "primer grito de libertad". Recién seis años después se pudo declarar la Independencia, y en buena medida gracias a la presión que realizara San Martín desde Mendoza, quien urgía a los políticos a que así lo hicieran, ya que no tenía mucho sentido iniciar una guerra independentista sin declarar primero la Independencia. ¿Por qué nos costaba tanto declarar la Independencia? No teníamos inconvenientes en enfrentar militarmente a los españoles, ni mucho menos a los invasores ingleses, tal como había ocurrido pocos años antes.

Sin embargo, a Manuel Belgrano se lo reprende por haber creado una bandera para diferenciar nuestras tropas de las realistas. San Martín, tal como dijéramos, presiona para que se haga algo que a la luz del tiempo parece casi una obviedad. Ni qué hablar de que entre aquel grito de libertad y la Constitución Nacional pasó casi medio siglo.

Más o menos por la misma época, a fines del siglo XVIII, los Estados Unidos en muy poco tiempo no sólo se declaraban independientes sino que redactaban su Constitución y elegían a su primer presidente. Proceso este último que como es bien sabido, se viene repitiendo durante los últimos doscientos años (aunque también atravesaron conflictos como por ejemplo, la cruenta Guerra de Secesión).

En la Argentina en cambio, entre 1810 y la Constitución de 1853 tuvimos: Primera Junta, Junta Grande, Triunviratos, Directores Supremos, Presidentes, Restauradores de Leyes, varios intentos de Constitución, anarquía, hasta finalmente llegar a la forma de gobierno definitiva (aunque en la práctica no lo fuera tanto).

Nos parece observar algunas similitudes entre estas idas y venidas historicopolíticas del siglo pasado, y las idas y venidas de la actualidad. ¿Será que la secuencia histórica mencionada ha dejado una impronta que perdura aún en nuestros días? ¿Estará nuestro mito fundacional formado por un conjunto de contradicciones y vicisitudes permanentes que, acompañándonos en el presente dificultan y perturban una más operativa resolución de los problemas?

Son preguntas que no es posible contestar de manera definitiva. Sin embargo, parecen abrir un interesante campo para la reflexión.

Creemos que de la misma forma en que la presencia de estos mitos, cuando son consistentes y consensuados, facilita el desarrollo de identidades sociales definidas, la carencia de los mismos, su difícil visualización, o bien su contradictoria estructura afectan negativamente los procesos constitutivos de las identidades nacionales.

Las identidades nacionales en tiempos de globalización

La temática de las identidades nacionales resulta de interés, porque a la repercusión que ella tiene en nuestro caso particular se le suma la inusitada vigencia que ha alcanzado en el último tiempo en el contexto internacional, del cual no podemos abstraernos.

Cuando todo parecía indicar que en Europa éste era un asunto cerrado y concluido, distintos hechos políticos apuntan en el sentido contrario. Se analizarán algunos de ellos, porque independientemente de sus consecuencias directas sobre el tema de este libro, manifiestan de forma inequívoca la importancia de la consideración del escenario politicosocial en este tipo de estudios.

En primer lugar, la disolución de la Unión Soviética ha generado la emergencia de una serie de conflictos etnicorreligiosos cuyos alcances no se está aún en condiciones de mensurar. Paradójicamente, el surgimiento de estas graves crisis se da de manera coincidente con el de los primeros megabloques mundiales como lo son la Unión Europea, el NAFTA y el Mercosur, entre otros. La desaparición de las fronteras nacionales que éstos implican —específicamente en el caso europeo— han facilitado la exacerbación de movimientos de afirmación etnicorregional que se consideraban adormecidos.

En los tiempos de la globalización como macrotendencia mundial, estos virulentos resurgimientos aún no pueden ser ponderados con precisión. ¿Son la respuesta contestataria a la imposición de sistemas globales donde las identidades nacionales parecen diluirse? ¿O se trata en cambio del aprovechamiento estratégico de una coyuntura estructural para satisfacer viejos reclamos que se encontraban pendientes?

Si acordamos, siguiendo a Kelman (1973) que el sentido de identidad nacional se adquiere "En tanto que un grupo de gente ha llegado a verse a sí mismo como constituyendo una entidad única, identificable, con la pretensión de continuidad en el tiempo, de unidad a través de la distancia geográfica y con el derecho reconocido a varias formas de autoexpresión colectiva..." se puede presumir que hay suficientes argumentos a favor de contestar positivamente el primer interrogante.

Desandar el camino que permitió el establecimiento de identificaciones tales como las implicadas en las identidades nacionales —que son las que permiten que una comunidad de individuos se autorreconozcan como una nación— será sin duda un proceso costoso y turbulento. Más aún si se considera el importante monto de incertidumbre que se suscitará para los grupos sociales partícipes.

Respecto del segundo interrogante, no se puede subestimar la incidencia de conflictos irresueltos que en general son producto de la aplicación de políticas autoritarias sobre grupos minoritarios —por ejemplo, la España franquista y la ex Unión Soviética— cuyo objetivo fue una forzada homogeneización de estas comunidades dentro de una estructura mayoritaria. No es entonces extraño que dichos conflictos emerjan luego en forma de demandas autonómicas o independentistas.

La vigencia de estas cuestiones reafirma la idea de que las identidades nacionales no se cristalizan definitivamente, ya que varían en el tiempo, en un proceso que combina realidades históricas y de movilización deliberada. Su fuerza y naturaleza dependerán de las características de la movilización intragrupal y de la dirigencia responsable de la movilización (Kelman, *op. cit.*).

Es posible reconocer etapas en la dinámica de dicho proceso, que se asocian con la velocidad y profundidad de los cambios involucrados, y que se corresponderán con tiempos de consolidación y de crisis.

Cuando se solicitó al lector su participación en el ejercicio de imaginación referido a la inmigración, se señaló que en ese escenario prospectivo de ficción los medios de comunicación tendrían un papel decisivo. Pero esta afirmación dista de ser solamente futurista. En la actualidad, la reproducción y hasta la manipulación de ciertos contenidos, al igual que la importación en "tiempo real" (vía, por ejemplo, comunicaciones satelitales) de pautas, modas, costumbres y hábitos de distintas sociedades, acelera y modifica la dinámica de la formación de las identidades sociales.

Sin embargo, creemos que cualquier intento de imponer identidades, si no existen los adecuados basamentos historicoculturales que así lo permitan, está condenado al fracaso. Porque, tal como ya se ha señalado, las identidades no se imponen: se construyen.

Durante mucho tiempo, un conjunto de habitantes de una determinada región puede compartir la documentación que acredita una cierta nacionalidad. Pero confundir la identificación formal que implican los documentos —aun cuando éstos estén acompañados de reconocimientos de fronteras o aceptación de símbolos nacionales— con la construcción y aceptación de una identidad nacional, es un grave error. Los Estados políticos en cuya composición participan diversos grupos étnicos y culturales muy diferenciados, son los que se encuentran más fácilmente expuestos a situaciones conflictivas, en la medida en que las fronteras étnicas, lingüísticas o religiosas, no serán coincidentes con las fronteras políticas. Como señala Kelman: "La reciprocidad entre Estado y nación nunca viene dada automáticamente; debe, por lo menos en parte, conseguirse".

El caso de Yugoslavia es un patético ejemplo de lo planteado. Con el agravante de la presencia de un componente que no debe ser subestimado, como con frecuencia lo ha sido. Esto es, que una de las principales causas de conflictos sociopolíticos en este final de siglo es el peculiarmente sólido lazo que representa la identidad étnica y religiosa por encima de las fronteras geopolíticas. Los movimientos fundamentalistas y su avance como alternativa al sistema de valores y a la ideología occidental en su totalidad proyectan una oscura sombra sobre las afirmaciones apresuradas de quienes sostienen que a partir de la desaparición del modelo socialista la sociedad mundial se ordenará de forma excluyente alrededor del modelo occidental, capitalista. Por las dudas, conviene recordar que en el mundo hay más de mil quinientos millones de musulmanes diseminados en distintos continentes.

Identidad nacional. El capítulo argentino

El problema de la identidad nacional, no es entonces exclusivamente argentino. Aunque como se ha tratado de demostrar desde estas páginas, posee en nuestro país características propias.

Una de ellas, que ha sido tangencialmente abordada en más de una oportunidad y a la que quisiéramos referirnos con mayor profundidad, es la relación entre porteños y provincianos. Es visible la estrecha correspondencia que guardan muchas de las descripciones encontradas acerca de los argentinos, con lo que podría denominarse el "estilo porteño" el que por otra parte suelen adoptar con frecuencia los habitantes del interior del país cuando residen en Buenos Aires. Buen indicador este último de la ambivalente actitud de la gente de las provincias hacia Buenos Aires: por un lado se la rechaza, por el otro se la imita.

Ese estilo porteño es el que polariza buena parte de la representación que se tiene de los argentinos en el exterior. Lo que no deja de constituir una clara injusticia con respecto a cordobeses, santafecinos, riojanos, misioneros, neuquinos, fueguinos y hasta los habitantes de Valeria del Mar en la provincia de Buenos Aires.

Aquel dicho "Cría fama y échate a dormir" pareciera tener su correlato en la psicología social con "creado el estereotipo y su subsecuente prejuicio, échate a dormir" (o a correr, según el caso). Así como "José Carioca" representa con toda su carga de ritmo, samba, playa y Carnaval a los brasileños desde Belén hasta Río Grande del Sur; aunque cualquiera que conozca Brasil habrá notado las importantes diferencias regionales que los caracterizan.

Del mismo modo "Carlitos porteño" representa a los argentinos de Ushuaia hasta La Quiaca ocultando así las diferencias regionales.

El porteño es muchas veces, y con razón, criticado por el resto de sus compatriotas. Pero creemos que no siempre se hace un análisis equitativo de su "perfil de personalidad".

Cabe hacer algunas acotaciones sobre este asunto. ¿Qué es lo que habitualmente se escucha en el mundo acerca de los habitantes de las grandes ciudades? Por ejemplo: ¿de los neoyorkinos, parisinos, londinenses, milaneses, barceloneses, etcétera? ¿Que son el colmo de la simpatía y de la amabilidad?, ¿Que no son presuntuosos?

Este tema merece un tratamiento que considere la intervención de otras variables, como las ambientales, para acceder a una elaboración más completa de la situación. ¿No será que quienes habitan las grandes ciudades viven a un ritmo tal —por otra parte para nada saludable— que acelera el deterioro de sus maneras sociales? ¿Cuántas veces se piden las cosas "por favor", cuántas veces se dice "gracias", cuántas veces se dispone de tiempo? No consideramos que los defectos del porteño provengan de una malformación genética, sino que se encuentran muy influenciados por las características de su medio ambiente. Además, las rivalidades entre las ciudades más grandes y las más pequeñas dentro de los países no son un fenómeno argentino. Y si bien Buenos Aires no es ni Nueva York, ni París, ni Londres indudablemente le caben las normas generales de la ley con respecto a las ciudades grandes en este fin de siglo. Contaminación, estrés, tránsito, apuro, aglomeramientos, etcétera. No obstante, el porteño también guarda hábitos y costumbres que muchas veces no coinciden con su condición de habitante de una gran urbe. Aun hoy podemos seguir siendo buenos vecinos —aunque más no sea a veces— y sobre todo buenos amigos, hospitalarios y poseedores de un sentido del humor cuya composición química cercana a la del ácido nítrico suele volcarse sobre su objeto predilecto: nosotros mismos.

Como dice Félix Luna en su libro *Buenos Aires y el país* (1982): "Son Buenos Aires y el resto del país como el Yin y el Yang del ser nacional, los términos de un conflicto permanente que a veces —no muchas— han encontrado la fórmula para una razonable armonía".

En algún sentido, este conflicto reedita la pugna entre europeicidad contra latinoamericanismo, cuyos antecedentes históricos se remontan a los distintos modelos de país que buscaron su primacía desde nuestros orígenes como nación. Pero sea cual fuere la posición de cada cual a este respecto, su misma vigencia ha impregnado nuestra identidad nacional. Los argentinos somos distintos a los otros pueblos latinoamericanos en muchos aspectos, a la vez que semejantes en muchos otros. Las diferencias otorgan peculiaridad, pero de ninguna manera jerarquía.

Somos también distintos de los europeos, inclusive de aquellos con quienes compartimos significativos lazos culturales y étnicos debido al importante flujo de inmigrantes que aportaron.

Es lógico que así sea, ya que fusionados en esta tierra, no sólo con los criollos sino con grupos de inmigrantes provenientes de otros países, han dado lugar a un grupo diferente cuya identidad en algunos aspectos los representa pero en otros tiene perfiles propios.

Oportunamente se hizo referencia a la reacción que tanto europeos como estadounidenses tienen hacia nosotros cuando tratamos de explicar esto último. Y es que para ellos, nuestra característica diferencial como grupo no está dada justamente por aquellos rasgos europeos sino por los elementos latinoamericanos que en igual medida participan de nuestra identidad. No creemos que en última instancia esto sea tan importante como en cambio lo es asumir la identidad argentina de manera integral, contemplando las diversas subculturas que pudiera incluir.

Es decir, que es tan argentino el "hombre de Corrientes y Esmeralda" como el habitante de Las Lomitas, provincia de Formosa. Uno tendrá más vínculos con la raigambre europea, y el otro con la latinoamericana, pero sin cualquiera de ellos los argentinos no seríamos —con virtudes y defectos— lo que somos. Su participación en la síntesis final debe tener una consideración equitativa. De otra forma, se caería en el absurdo de forzar un planteamiento artificial de una identidad nacional excluyente.

Comentarios finales

Es tiempo de volver al protagonista principal: el argentino feo.

Como dijera Oriana Fallaci, si llevamos dentro un enano fascista, bien podemos llevar un argentino feo (que se encuentra muy emparentado con el primero).

A través de estas páginas se ha buscado evidenciar su existencia, o al menos dar buenas razones para pensar en ella. No puede ser casual que a lo largo de tantos años, y de tan variado número y calidad de fuentes provengan tantas opiniones coincidentes. Tampoco podemos refugiarnos en la cómoda postura de pensar que la culpa la tienen los demás, y que si no somos queridos o nos atribuyen rasgos negativos es porque son ellos intrínsecamente malos o se confabulan, váyase a saber con qué extraño designio, para transformarnos en el objeto predilecto de sus diatribas.

Se decía al inicio de este trabajo, que el tema de la imagen nacional y de la identidad nacional nos competía a todos independientemente de nuestra voluntad. Ello es así porque la identidad nacional es un producto colectivo que se transmite a los miembros del grupo a través de la socialización, y que se refuerza en el tiempo. En la definición de sí mismos *como grupo* que ella importa se incluyen los valores básicos, las esperanzas y los temores, las instituciones y tradiciones, y los propósitos futuros.

Pero quizá más importante sea comprender que a través de la influencia social es incorporada a la *identidad personal* de los individuos, afectando las autodefiniciones personales, creencias y valores concernientes al sentido de la existencia humana, las instituciones sociales, y hasta la definición de un ideal de personalidad. En otras palabras: una cosmovisión.

"Estos elementos colectivos de identidad, en tanto que son adoptados por los individuos como propios se convierten en partes importantes de la autoidentidad de estos individuos" (Kelman, *op. cit.*).

En esa incorporación de componentes de la identidad nacional se llegan a compartir aspectos colectivos, como las imágenes de la propia nación y de otros grupos, que cargan de significado las respuestas a aquellas preguntas con las que iniciáramos este libro y que todos nos hemos hecho alguna vez: ¿quiénes somos?, ¿cómo somos?, y ¿por qué somos como somos? Nuestra autodefinición grupal y personal se encuentra intrínsecamente comprometida en ellas.

Intentamos ser equitativos en la atribución y distribución de las causas. Hemos señalado también reiteradas veces el papel que tienen los procesos psicosociales en la formación de los prejuicios y estereotipos, y en su elevado nivel de consenso. Sin embargo, este consenso denota que no se trata de un proceso exclusivamente cognitivo en tanto que se reconoce su carácter discursivo y de construcción social. Si las identidades e imágenes sociales —que son indicadores de las primeras— son entonces construidas y forman parte de un discurso social, queda abierta la posibilidad de su reelaboración, dado que este último es factible de ser modificado o reorientado.

Por ello, no adoptamos una postura resignada frente al problema, sino seguramente no hubiéramos escrito estas páginas. Creemos, al igual que Kelman que "... los individuos deben adquirir algún conocimiento sustantivo del contexto histórico y cultural de sus creencias y valores; deben ver estos valores y creencias como algo con significado personal para ellos; y deben traducirlos en la práctica concreta de sus vidas cotidianas", si es que la identidad nacional se convierte en parte de una identidad personal.

Somos conscientes de las dificultades que enfrentaremos al intentar modificar hábitos y costumbres, y lo que de los argentinos se piensa y percibe. Pero debemos dejar en claro que estos problemas son solamente el aspecto sintomático del problema mayor que abarca la aun fragmentaria composición de nuestra identidad nacional.

En el análisis del desarrollo de nuestra identidad nacional se ha subrayado en más de una oportunidad la existencia de actitudes individualistas en oposición a otras de carácter más solidario. Este no es un estado de cosas casual.

A través de una suerte de proceso de evolución de las actitudes psicosociales, daría la impresión de que nos encontramos en el estadio de los "corporativismos".

Dicho en otras palabras, se ha pasado del más primitivo de la supervivencia individual al de la supervivencia grupal.

Pero ese grupo en realidad es un subgrupo reunido alrededor de conjuntos de intereses. Es así que "los políticos", "los empresarios", "los sindicalistas", "los militares" y también muchas agrupaciones profesionales, actúan como sistemas cerrados que atomizadamente compiten por distintas porciones de poder y por obtener beneficios sectoriales encubriendo sus objetivos con el maquillaje del interés nacional.

Cada sector pareciera querer hacer creer a los demás que lo que es bueno para ellos, lo es en medida semejante para el país.

Modificar nuestra imagen y consolidar nuestra identidad, no responde a ningún proyecto sectorial y sería —en tanto que se desarrollara como actitud compartida— un importante rasgo de madurez social. Por lo que significa en sí mismo, y porque implica la asunción de un objetivo, que descentrado de los intereses sectoreos, se orienta a un nivel superior.

Lograrlo sería una clara demostración de cómo alcanzar un objetivo común a través de comportamientos individuales pero solidarios. Sin duda, constituiría una nada desdeñable, y en gran medida inédita, experiencia social.

APÉNDICES:
DATOS GENERALES DE LA INVESTIGACIÓN

Muestra
Constituida por un total de 1.109 sujetos encuestados en las siguientes universidades:

- Universidad Central de Venezuela
- Kansas State University (Estados Unidos)
- Universidad de San Pablo (Brasil)
- Universidad Diego Portales (Chile)
- Universidad de Costa Rica
- Universidad de San Marcos Lima (Perú)
- Universidad Nacional de Córdoba (Argentina)
- Universidad Nacional de Buenos Aires (Argentina)

Primera etapa

Instrumento
El instrumento utilizado fue el cuestionario CPC (Cuestionario de Preferencias y Características). Presenta:

- Una lista con 30 países americanos
- Una lista con una selección de 12 de estos 30 países
- Un listado de características conformado por 27 pares de opciones
- Un apartado sociodemográfico
- Una escala de autoubicación ideológica de tipo Likert de 7 gradaciones en el continuo derecha-izquierda

Los 30 países incluidos en la primera lista son:

México	Trinidad y Tobago
Guatemala	Colombia
Honduras	Venezuela
El Salvador	Guyana
Belize	Surinam
Nicaragua	Ecuador
Costa Rica	Perú
Panamá	Bolivia
Cuba	Paraguay
Jamaica	Chile
Haití	Argentina
Bahamas	Uruguay
Barbados	Canadá
República Dominicana	Estados Unidos
Puerto Rico	Brasil

Los 12 países que forman la segunda lista son:

Estados Unidos	Chile
México	Costa Rica
Colombia	Canadá
Brasil	Uruguay
Argentina	Panamá
Venezuela	Cuba

Los 27 pares de opciones del listado de características son:

Triste / Alegre	Instruido / No instruido
Estable / Inestable	Fuerte / Débil
Pacífico / Beligerante	Avaro / Generoso
Hospitalario / Inhospitalario	Honesto / Deshonesto
Tradicionalista / No tradicionalista	
Rico / Pobre	Confiable / Desconfiable
Torpe / Inteligente	Democrático / Autoritario
Trabajador / Holgazán	Modesto / Soberbio
Eficiente / Ineficiente	Simpático / Antipático
Seguro / Inseguro	Dependiente / Independiente

Sumiso / Rebelde
Desarrollado / Subdesarrollado
Corrupto / Incorrupto
Expansionista / No expansionista

Organizado / Desorganizado
Enfermo / Sano
Amigo / Enemigo

Religioso/ No religioso

Procedimiento
Se solicitó a los sujetos que efectuaran tres tareas:

En relación con el listado de 30 países:
1) Agrupar los 10 países de su mayor preferencia;
2) Agrupar los 5 países menos preferidos.

En relación con el listado de 12 países:
3) Elegir del listado de características disponibles aquellas tres que a su criterio mejor describieran a cada nación (incluida la propia).

Segunda etapa

Instrumento y tarea
En una segunda etapa se solicitó a los sujetos participantes que completaran otro cuestionario, donde se les presentaba el mismo listado de características de 27 pares de opciones del cuestionario anterior.

Esta vez la tarea consistía en utilizarlo para describir el modo en que creían que su propio país era visto por los habitantes de los demás países de la región.

Procedimiento
En este caso, el procedimiento se resumió a seleccionar aquellas tres características que fueran, según el criterio de cada encuestado, utilizadas con más frecuencia en el resto de los países de América para describir a su propio país.

Nuevamente se solicitaron datos sociodemográficos y de autoubicación ideológica.

APÉNDICE 1:
PAÍSES MÁS PREFERIDOS
PARA CADA MUESTRA

Muestra Argentina

1. *Argentina*
2. Brasil
3. Estados Unidos
4. Canadá
5. México
6. Uruguay
7. Venezuela
8. Cuba
9. Chile
10. Bahamas

Muestra Estados Unidos

1. Estados Unidos
2. Canadá
3. Bahamas
4. Jamaica
5. México
6. Brasil
7. Puerto Rico
8. Costa Rica
9. Venezuela
10. Barbados

Muestra Venezuela

1. Venezuela
2. México
3. Brasil
4. Canadá
5. Puerto Rico
6. Estados Unidos
7. Cuba
8. *Argentina*
9. Chile
10. Perú

Muestra Brasil

1. Brasil
2. Canadá
3. Estados Unidos
4. Bahamas
5. *Argentina*
6. México
7. Jamaica
8. Chile
9. Cuba
10. Uruguay

Muestra Chile

1. Chile
2. México
3. Canadá
4. Brasil
5. Cuba
6. *Argentina*
7. Venezuela
8. Jamaica
9. Estados Unidos
10. Haití

Muestra Costa Rica

1. Costa Rica
2. Canadá
3. Estados Unidos
4. *Argentina*
5. Brasil
6. Puerto Rico
7. Venezuela
8. Chile
9. Bahamas
10. Jamaica

Muestra Perú

1. Brasil
2. México
3. Canadá
4. Estados Unidos
5. Chile
6. Venezuela
7. *Argentina*
8. Perú
9. Puerto Rico
10. Colombia

APÉNDICE 2:
PAÍSES MENOS PREFERIDOS
PARA CADA MUESTRA

Muestra Argentina

1. Bolivia
2. Estados Unidos
3. Chile
4. Cuba
5. Nicaragua

Muestra Venezuela

1. Estados Unidos
2. Colombia
3. *Argentina*
4. Haití
5. Surinam

Muestra Chile

1. Estados Unidos
2. Perú
3. Bolivia
4. *Argentina*
5. Cuba

Muestra Estados Unidos

1. El Salvador
2. Cuba
3. Nicaragua
4. Honduras
5. Colombia

Muestra Brasil

1. Paraguay
2. Bolivia
3. Colombia
4. El Salvador
5. Cuba

Muestra Costa Rica

1. Nicaragua
2. Cuba
3. Colombia
4. Haití
5. México

Muestra Perú

1. Cuba
2. Ecuador
3. El Salvador
4. Haití
5. Nicaragua

APÉNDICE 3:
CARACTERÍSTICAS MÁS SELECCIONADAS
POR CADA MUESTRA PARA CADA PAÍS

Muestra Argentina	I	II	III
Estados Unidos	Desarrollado	Fuerte	Estable
Brasil	Alegre	Hospitalario	Simpático
México	Hospitalario	Simpático	Alegre Tradicionalista
Colombia	Corrupto Pobre Subdesarrollado	Inseguro	Desconfiable Dependiente
Argentina	Subdesarrollado	Corrupto Dependiente	Inestable
Canadá	Desarrollado	Organizado	Eficiente
Cuba	Autoritario	Pobre	Rebelde
Chile	Subdesarrollado Expansionista	Enemigo	Desconfiable
Costa Rica	Subdesarrollado	Alegre Pobre	Débil
Venezuela	Simpático	Amigo Pobre	Dependiente
Uruguay	Amigo	Subdesarrollado	Hospitalario
Panamá	Dependiente	Subdesarrollado	Pobre

Muestra Estados Unidos	I	II	III
Estados Unidos	Fuerte	Democrático	Desarrollado
Brasil	Hospitalario	Alegre	Simpático Estable Pacífico
México	Pobre	Subdesarrollado	No instruido
Colombia	Corrupto	Deshonesto	Inestable
Argentina	Hospitalario	Pobre	Sumiso Subdesarrollado
Canadá	Amigo	Pacífico	Simpático
Cuba	Corrupto	Autoritario	Enemigo
Chile	Subdesarrollado Pobre	Estable Débil Enfermo	Trabajador Corrupto Amigo
Costa Rica	Subdesarrollado	Pobre	Simpático
Venezuela	Subdesarrollado	Simpático	Amigo
Uruguay	Subdesarrollado	Pobre	Débil
Panamá	Corrupto	Inestable	Amigo
Bahamas	Alegre	Hospitalario	Simpático

Muestra

Venezuela	I	II	III
Estados Unidos	Desarrollado	Expansionista	Fuerte
Brasil	Alegre	Hospitalario	Simpático
México	Hospitalario	Tradicionalista	Amigo
Colombia	Desconfiable	Corrupto	Inseguro
Argentina	Soberbio	Antipático	Subdesarrollado
Canadá	Organizado	Desarrollado	Estable
Cuba	Autoritario	Instruido	Trabajador
Chile	Subdesarrollado	Organizado	Instruido
Costa Rica	Hospitalario	Alegre	Subdesarrollado Pacífico
Venezuela	Corrupto	Subdesarrollado	Hospitalario
Uruguay	Subdesarrollado	Pacífico	Débil Tradicionalista Amigo
Panamá	Subdesarrollado	Sumiso	Dependiente

Muestra Brasil

	I	II	III
Estados Unidos	Desarrollado	Soberbio	Fuerte
Brasil	Alegre	Hospitalario	Corrupto
México	Alegre	Simpático	Hospitalario
Colombia	Desconfiable	Pobre	Subdesarrollado
Argentina	Inestable	Discutidor	Soberbio Alegre
Canadá	Desarrollado	Organizado	Instruido
Cuba	Autoritario	Rebelde	Beligerante
Chile	Subdesarrollado	Simpático	Débil
Costa Rica	Subdesarrollado	Débil	Dependiente
Venezuela	Subdesarrollado	Pobre	Desorganizado
Uruguay	Subdesarrollado	Débil Tradicionalista	Dependiente
Panamá	Subdesarrollado	Dependiente	Inestable Pobre

Muestra

Chile	I	II	III
Estados Unidos	Fuerte	Desarrollado	Expansionista
Brasil	Alegre	Simpático	Corrupto
México	Hospitalario	Alegre	Simpático
Colombia	Corrupto	Inseguro	Inestable
Argentina	Soberbio	Antipático	Inestable
Canadá	Organizado	Desarrollado	Estable
Cuba	Autoritario	Rebelde	Alegre Hospitalario
Chile	Hospitalario	Subdesarrollado	Tradicionalista
Costa Rica	Alegre	Simpático	Amigo
Venezuela	Simpático	Alegre	Corrupto Amigo
Uruguay	Amigo	Confiable	Subdesarrollado
Panamá	Dependiente	Subdesarrollado	Alegre Simpático

Muestra

Costa Rica	I	II	III
Estados Unidos	Desarrollado	Fuerte	Expansionista
Brasil	Pobre	Simpático	Enfermo Corrupto
México	Tradicionalista	Soberbio	Hospitalario
Colombia	Corrupto	Inseguro	Inestable
Argentina	Amigo	Soberbio	Alegre
Canadá	Desarrollado	Estable	Organizado
Cuba	Autoritario	Inestable	Pobre Subdesarrollado
Chile	Alegre	Simpático	Hospitalario
Costa Rica	Democrático	Pacífico	Hospitalario
Venezuela	Amigo	Eficiente	Simpático
Uruguay	Amigo	Pacífico	
Panamá	Subdesarrollado	Inestable	Dependiente

Muestra

Perú	I	II	III
Estados Unidos	Desarrollado	Rico	Fuerte
Brasil	Alegre	Simpático	Hospitalario Corrupto
México	Hospitalario	Alegre	Amigo
Colombia	Corrupto	Subdesarrollado	Inseguro
Argentina	Soberbio	Antipático	Amigo
Canadá	Desarrollado	Organizado	Eficiente
Cuba	Autoritario	Rebelde	Subdesarrollado
Chile	Organizado	Expansionista	Enemigo
Costa Rica	Subdesarrollado	Simpático Dependiente	Pacífico Hospitalario
Venezuela	Simpático	Enemigo	Hospitalario
Uruguay	Subdesarrollado	Confiable	Modesto
Panamá	Dependiente	Subdesarrollado	Pobre
Perú	Subdesarrollado	Desorganizado	Religioso Hospitalario

APÉNDICE 4:
EXOESTEREOTIPOS

Muestra Argentina	Subdesarrollado	Corrupto	Inestable Soberbio
Muestra Venezuela	Subdesarrollado	Corrupto	Desorganizado
Muestra Brasil	Alegre	Hospitalario	Corrupto
Muestra Estados Unidos	Fuerte Rico	Desarrollado	Democrático

APÉNDICE 5:
PREFERENCIAS Y NO PREFERENCIAS
SEGÚN LA VARIABLE "IDEOLOGÍA POLÍTICA"

Muestra Argentina

Preferencias

Izquierda
1. Argentina (50,8%)
2. Cuba y Brasil (16,4%)

Derecha
1. Argentina (68%)
2. Estados Unidos (21,4%)

No preferencias

Izquierda
1. Estados Unidos (37,3%)

Derecha
1. Cuba (25,5%)

Muestra Estados Unidos

Preferencias

Liberales
1. Estados Unidos (71,7%)
2. Canadá (33,2%)

Conservadores
1. Estados Unidos (93,5%)
2. Canadá, Bahamas,
   Jamaica (2,2%)

No preferencias

Liberales
1. Cuba (15%)

Conservadores
1. Cuba (40,3%)

BIBLIOGRAFÍA GENERAL CONSULTADA

Anderson, B. (1993): "Memory and Forgetting", en: *Imagined Communities*. Ed. Verso, Londres, Gran Bretaña.

Aunós y Pérez, E. (1944): *Argentina, el imperio del sur*. Ediciones de la Facultad, Buenos Aires, Argentina.

Barrenechea, M. (1947): *Argentinos en Londres*. Ed. Claridad, Buenos Aires, Argentina.

Bar-Tal, D. (1991): "Patriotism as fundamental beliefs of group members", trabajo presentado al XIV Congreso de la Sociedad Internacional de Psicología Política. Helsinki, Finlandia, Julio de 1991.

Benítez, H. (1950): "La Argentina de ayer y de hoy", en: *Revista de la UBA*, tomo IV, vol. I, nº 13.

Biagini, H. (1989): *Filosofía americana e identidad. El conflictivo caso argentino*, EUDEBA, Buenos Aires, Argentina.

Billig, M. (1985): "Racismo, prejuicios y discriminación", en: *Psicología Social*, S. Moscovici comp., Ed. Paidós, Barcelona, España.

Braud, Ph. (1991): *El jardín de las delicias democráticas*. Fondo de Cultura Económica, Buenos Aires, Argentina.

Bronfenbrenner, V. (1961): "The mirror image in Soviet American relations: a social psychologist's report", en: *Journal of Social Issues*, nº 17, págs. 45-46.

Bunge, C. (1905): *Nuestra América*. Ed. Abeledo, Buenos Aires, Argentina.

Campoy, L. (1988): *Investigaciones en Sociología*. Publicación de la Facultad de Filosofía y Letras de la Universidad Nacional de Cuyo, Mendoza, Argentina.

Cárdenas, R. (1973): *Los porteños, su tiempo, su vivir*. Ed. Sudamericana, Buenos Aires, Argentina.

Carrasco, G. (1895): *Intereses nacionales de la República Argentina*. Ed. Peuser, Buenos Aires, Argentina.

Casariego Fernández, J. (1949): *Pasado, porvenir, y misión de la gran Argentina*. Ed. Cultura Hispánica, Madrid, España.

Caterica, J. (1973): *Análisis psicológico y psicosocial de la dependencia*. Ed. Guadalupe, Buenos Aires, Argentina.

Chiappini, J. (1984): *Los argentinos, realidad y mito*, Ed. Universidad, Buenos Aires, Argentina.

Clark, KB.; Clark, MP. (1947): "Racial identification and preference in Negro children", en: *Readings in social psychology*, Newcomb-Hartley comps., New York: Holt, Estados Unidos.

Codol, JP. (1984): "Social differenciation and non-differenciation", en: *The Social Dimension*, H. Tajfel, comp., cap. 26, Cambridge University Press, Cambridge, Gran Bretaña.

D'Adamo, O.; García Beaudoux, V. (1994): "La representación social de los países americanos, un estudio transcultural", en: *Revista Interamericana de Psicología*, vol. 28, nº 1, Caracas, Venezuela, pp. 91-104.

D'Adamo, O.; García Beaudoux, V. (1993): "Representaciones sociales, categorías e identidad nacional. Un estudio comparado entre Venezuela y Argentina", en: *Teoría y Política de la construcción de identidades y diferencias en América Latina y el Caribe* D. Mato, comp., UNESCO-Ed. Nueva Sociedad, Caracas, Venezuela.

De Amicis, E. (1884): *Impresiones sobre la Argentina*, Ed. Emecé, Buenos Aires, Argentina.

Deschamps, JC. (1984): "The Social Psychology of intergroup relations and categorical differentiation", en: *The Social Dimension*, H. Tajfel comp., Cambridge University Press, Cambridge, Gran Bretaña.

Dickmann, E. (1946): *Población e inmigración*, Ed. Losada, Buenos Aires, Argentina.

Dido, J.C. (1991): *Identikit de los argentinos*, Ed. Corregidor, Buenos Aires, Argentina.

Doise, W. (1985): "Las relaciones entre grupos", en: *Psicología Social*, S. Moscovici comp., Ed. Paidós, Barcelona, España.

Doise, W.; Deschamps, J.; Mugny, G. (1985): *Psicología social experimental*, Ed. Hispano Europea, Barcelona, España.

Echebarría, A. (1991): *Psicología social sociocognitiva*, Ed. Desclée de Brower, Bilbao, España.

Ekroth, G. (1993): *La locura argentina*, Ed. Errepar, Buenos Aires, Argentina.

Erikson, E. (1968): *Identidad, juventud y crisis*, Ed. Paidós, Buenos Aires, Argentina.

Escardó, F. (1945): *Geografía de Buenos Aires*, Ed. Losada, Buenos Aires, Argentina.

Escudé, C. (1983): *1942-1949 Gran Bretaña, Estados Unidos, y la declinación argentina*, Ed. de Belgrano, Buenos Aires, Argentina.

Escudé, C. (1984): *La Argentina, ¿paria internacional?*, Ed. de Belgrano, Buenos Aires, Argentina.

Escudé, C. (1990): *El fracaso del proyecto argentino*, Ed. Tesis, Buenos Aires, Argentina.

Fernández Latour, O. (1990): *La búsqueda de la identidad nacional en la década del '30*, Ed. FAIGA, Buenos Aires, Argentina.

Ferns, H. (1983): *La Argentina: introducción histórica a sus problemas actuales*, Ed. Sudamericana, tercera ed., Buenos Aires, Argentina.

Fiske, S.; Taylor, Sh. (1991): *Social Cognition*, McGraw-Hill, New Jersey, Estados Unidos.

Forgas, J.; O'Driscoll, M. (1984): "Cross cultural and demographic differences in the perception of nations", en: *Journal of Cross Cultural Psychology*, vol. 15, nº 2, pp. 199-222.

Gandolfo, R. (1991): "Inmigrantes y política en la Argentina. La Revolución de 1810 y la campaña en favor de la naturalización automática de residentes extranjeros", en: *Estudios inmigratorios latinoamericanos*, vol. 6, nº 17, Buenos Aires, Argentina.

García, J. (1925): *Sombras que pasan*, Ed. Andretta y Rey, Buenos Aires, Argentina.

Grandmontagne, F. (1943): *Una gran potencia en esbozo*, Ed. Institución Cultural Española, Buenos Aires, Argentina.

Guibert, F. (1957): *The argentine compadrito*, Ediciones Promoción Nacional, Buenos Aires, Argentina.

Hernández Arregui, J. (1973): *La formación de la conciencia nacional*, Ed. Plus Ultra, Buenos Aires, Argentina.

Hernández Arregui, J. (1973): *Qué es el ser nacional (la conciencia histórica pero americana)*, Ed. Plus Ultra, Buenos Aires, Argentina.

Ingenieros, J. (1913): *El hombre mediocre*, Ed. Renacimiento, Buenos Aires, Argentina.

128   *El argentino feo*

Jacovella, B. (1981): *Claves para la interpretación de la Argentina*, Ed. Docencia, Buenos Aires, Argentina.

Jauretche, A. (1966): *El medio pelo en la sociedad argentina*, Peña Lillo ed., Buenos Aires, Argentina.

Jauretche, A. (1974): *Manual de zonceras argentinas*, Peña Lillo editor, Buenos Aires, Argentina.

Kaplowitz, N. (1990): "National self images, perception of enemies, and conflict strategies: psychopolitical dimensions of international relations", en: *Political Psychology*, vol. 11, nº 1, págs 39-79.

Kelman, H. (1973): "Nacionalismo e identidad nacional: un análisis psicosocial", en: *Perspectivas y Contextos de la Psicología Social*, Torregrosa, J. R. comp., 1983, págs. 241-266.

Kosterman, R.; Feshbach, S. (1989): "Toward a meassure of patriotic and nationalistic attitudes", en: *Political Psychology*, Vol. 10, nº 2, págs. 257-274.

Krebs, R. (1988): *Tradición cultural europea e identidad latinoamericana*, Ed. Atenea, Santiago de Chile, Chile.

Larsen, K. y otros (1992): "National identity: a new look to an old issue", en: *Journal of Social Behavior and Personality*, vol. 7, nº 2.

Lederer, W.; Burdick, E. (1959): *El americano feo*, Ed. Grijalbo Española, Barcelona, España.

Lippman, W. (1949): *La opinión pública*, Compañía General Fabril Editora SA, Buenos Aires, Argentina.

López Peña, A. (1958): *Teoría del argentino*, Ed. Sagrada Familia, Buenos Aires, Argentina.

Loprete, C. (1985): *El ensueño argentino*, Ed. Plus Ultra, Buenos Aires, Argentina.

Luna, F. (1973): *¿Qué queremos los argentinos?*, Ed. La Bastilla, Buenos Aires, Argentina.

Luna, F. (1982): *Buenos Aires y el país*, Ed. Sudamericana, Buenos Aires, Argentina.

Luna, F. (1993): *Breve historia de los argentinos*, Ed. Planeta, Buenos Aires, Argentina.

Mafud, J. (1959): *El desarraigo argentino*, Ed. Americalee, Buenos Aires, Argentina.

Mafud, J. (1973): *Psicología de la viveza criolla: contribuciones para una interpretación de la realidad argentina y americana*, quinta ed., Ed. Americalee, Buenos Aires, Argentina.

Mallea, E. (1983): *Historia de una pasión argentina*, Ed. Sudamericana, Buenos Aires, Argentina.

Martínez Estrada, E. (1976): *Radiografía de la Pampa*, Ed. Losada, Buenos Aires, Argentina.

Martínez Estrada, E. (1979): *La literatura y la formación de la conciencia nacional*, UNAM, México DF, México.

Mato, D. comp. (1993): *Teoría y política en la construcción de identidades (América Latina y el Caribe)*, UNESCO-Nueva Sociedad, Caracas, Venezuela.

Miel Asquía, A. (1987): *Cómo somos los argentinos*, Ediciones Ediliba, Buenos Aires, Argentina.

Mitre, J. (1987): "La inmigración en la Argentina y la identidad nacional", en: *Historia*, tomo VI, nº 26, págs. 43-69, Buenos Aires, Argentina.

Montero, M. (1984): *Ideología, alienación e identidad nacional*, Ediciones de la Biblioteca, Caracas, Venezuela.

Montero, M. (1993): "Sociabilidad, instrumentalidad y política en la construcción de la identidad venezolana", en: *Diversidad Cultural y Construcción de Identidades*, Fondo editorial Trópicos, Caracas, Venezuela.

Montero, M. (1993a): "Altercentrismo y construcción de identidades negativas", en: *Teoría y política de la construcción de identidades y diferencias en América Latina y el Caribe*, D. Mato comp., UNESCO-Nueva Sociedad, Caracas, Venezuela.

Montero, M.; Salas, M. (1993): "Imagen, representación e ideología. El mundo visto desde la periferia", en: *Revista Latinoamericana de Psicología*, vol. 25, nº 1, págs. 85-104.

Mora y Araujo, M. (1992): "Lo bueno del país", en: *Todo es historia*, a.26, nº 299, págs. 26-27.

Moyano Llerena, C. (1950): *Argentina social y económica*, Ed. Depalma, Buenos Aires, Argentina.

Nimmo, D.; Combs, J.E. (1980): *Subliminal politics: myths and myth makers in America*, Englewood Cliffs, New Jersey, Prentice Hall inc., Estados Unidos.

Ortega y Gasset, J. (1924): "Carta a un joven argentino que estudia Filosofía", en: *Obras Completas*, tomo II, Ed. Revista de Occidente, Madrid, España.

Ortega y Gasset, J. (1929): "Intimidades —La Pampa, promesas—", en: *Obras Completas*, tomo II, Ed. Revista de Occidente, Madrid, España.

Páez, L. (1938): *La nacionalidad argentina y otros ensayos*, Ed. Poblet, Buenos Aires, Argentina.

Pérez Amuchástegui, A. (1965): *Mentalidades argentinas (1860-1930)*, Editorial Universitaria de Buenos Aires, Buenos Aires, Argentina.

Pérez Prado, A. (1973): *Los gallegos y Buenos Aires*, Ediciones La Bastilla, Buenos Aires, Argentina.

Pinto, J. (1971): *Pasión y suma de la expresión argentina: literatura, cultura y región*, Ed. Huemul, Buenos Aires, Argentina.

Polakovic, E. (1978): *La formación del ser nacional*, Ed Lumen, Buenos Aires, Argentina.

Rapoport, M. (1988): *Economía e Historia. Contribuciones a la historia económica argentina*, Ed. Tesis, Buenos Aires, Argentina.

Rodríguez, M. (1994): "Los ritos como expresión de identidades: 5 de mayo chicano en Los Angeles, California", en: *Teoría y política de la construcción de identidades y diferencias en América Latina y el Caribe*. D. Mato comp., UNESCO-Ed Nueva Sociedad, Caracas, Venezuela .

Rodríguez, S.; Sabucedo, J.M.; Arce, C. (1991): "Estereotipos regionales y nacionales: del conocimiento individual a la sociedad pensante", en: *Revista de Psicología Social*, vol. 6, n° 1, págs 7-21.

Roselli, N. (1993): *Identidad Psicosocial y representación de grupos nacionales y extranjeros*, IRCE, Rosario, Argentina.

Rouquié, A. (1987): *Introducción a la Argentina*, Ed. Emecé, Buenos Aires, Argentina.

Sabucedo, J.M.; Ekehammar, B.; y otros (1990): *The cognitive representation of european countries: a comparison between swedish and spanish samples*, Reports from the Department of Psychology, n° 722, págs. 1-13, Stokholm University, Estocolmo, Suecia.

Salazar, J.M. (1987): "El latinoamericanismo como idea política", en: *Psicología Política Latinoamericana*, M. Montero comp., Ed. Panapo, Caracas, Venezuela.

Salazar, J.M. (1989): "Niveles de identificación y estructura cognoscitiva en relación con el latinoamericano", *Revista de Psicología Social*, n° 1, págs. 13-21.

Salazar, J.M.; Banch, MA. (1985): *Supranacionalismo y regionalismo*. Colección Monográfica del Consejo de Desarrollo Científico y Humanístico, Universidad Central de Venezuela, Caracas, Venezuela.

Salazar, JM.; Marín, G. (1977): "National stereotypes as a function of conflict and territorial proximity: a test of the mirror image hypothesis", en: *The Journal of Social Psychology*, nº 101, págs. 13-19.

Scalabrini Ortiz, R. (1931): *El hombre que está solo y espera*, 9ª ed. (1964), Ed. Plus Ultra, Buenos Aires, Argentina.

Soriano, O. (1993): *Cuentos de los años felices*, Ed. Sudamericana, Buenos Aires, Argentina.

Staub, E. (1991): "Blind versus constructive patriotism: moving from embeddedness in the group to critical loyalty and action", trabajo presentado al XIV Congreso de la Sociedad Internacional de Psicología Política, julio de 1991, Helsinki, Finlandia.

Tajfel, H. (1982): *Grupos humanos y categorías sociales*, Ed. Herder, Barcelona, España.

Tajfel, H. (1982): "Intergroup relations, social myths and social justice in social psychology", en: *The Social Dimension*, H. Tajfel comp., Cambridge University Press, Cambridge, Gran Bretaña.

Terrera, G. (1983): *El Ser Nacional*, Ed. Moharra, Buenos Aires, Argentina.

Tims, A.; Miller, M. (1986): "Determinants of attitudes toward foreign countries", en: *International Journal of Intercultural Relations*, vol. 10, págs. 471-484.

Torrado, S. (1992): *Estructura social de la Argentina 1945-1983*, Ed. de la Flor, Buenos Aires, Argentina.

Turner, J. (1982): "Social identification and psychological group formation", en: *The Social Dimension*, H. Tajfel comp., Cambridge University Press, Cambridge, Gran Bretaña.

Ulanovsky, C. (1993): *Los argentinos por la boca mueren*, Ed. Planeta, Buenos Aires, Argentina.

Vargas Vila, J. (1924): *Mi viaje a la Argentina. Odisea Romántica*, Ed. Biblioteca de Grandes Obras, Buenos Aires, Argentina.

ÍNDICE

SOBRE LOS AUTORES

Orlando J. D'Adamo
Argentino, Licenciado en Psicología de la Universidad de Buenos Aires. Profesor de Psicología Política I en la Facultad de Psicología de la Universidad de Buenos Aires, y profesor de Psicología Social en la Carrera de Ciencia Política en la Univesidad de Belgrano. Ha realizado diversas investigaciones y es autor de artículos sobre temas de Psicología Política, aparecidos en publicaciones científicas argentinas y extranjeras; y compilador del libro *Psicología de la Acción Política* (1995).

Virginia García Beaudoux
Argentina, Licenciada en Psicología en la Universidad de Buenos Aires. Jefa de Trabajos Prácticos de la Cátedra de Psicología Política I en la Facultad de Psicología de la Universidad de Buenos Aires; y profesora adjunta de Psicología Social en la Carrera de Ciencia Política de la Universidad de Belgrano. Ha investigado en temas de Psicología Política y es autora de trabajos científicos publicados en la Argentina y en el exterior. Compiladora, junto con Orlando J. D'Adamo, del libro *Psicología de la Acción Política* (Buenos Aires, Paidós, 1995).

COLECCION
Cristal del Tiempo

Serie Temas sociales
Unicef - Losada

**Minujin, Alberto; L. Beccaria; E. Bustelo
y otros**
> Cuesta abajo. Los nuevos pobres: efectos
> de la crisis en la sociedad argentina

Barbeito, Alberto C. y Lo Vuolo, Rubén M.
> La modernización excluyente.
> Transformación económica y Estado
> de Bienestar en Argentina

Tenti Fanfani, Emilio
> La escuela vacía. Deberes del Estado
> y responsabilidades de la sociedad

Minujin, Alberto (editor)
> Desigualdad y exclusión. Desafíos
> para la política social en la Argentina
> de fin de siglo

Wainerman, Catalina H. y otros
> Vivir en familia

Thompson, Andrés y otros
> Público y privado.
> Las organizaciones de lucro en la Argentina

Se terminó de imprimir en el mes de
agosto de 1995 en Imprenta de los
Buenos Ayres S.A.I.C., Carlos Berg 3449
Buenos Aires - Argentina